Bald wird es Frühling. Wim Endersson, Literaturagent und Melancholiker, fiebert der neuen Jahreszeit genauso entgegen wie alle anderen Bewohner von CobyCounty. Sie warten auf die schönsten Touristen der Welt. Jedes Jahr strömen begabte Menschen aus allen Nationen in den berühmten Ort am Meer, um sich im milden Sonnenschein selbst zu feiern. Wim und sein bester Freund Wesley haben noch nie woanders gelebt, sie studierten an der School of Arts and Economics und erinnern sich gern an die sinnlichen Knutschszenen, tragischen Trennungen und ausschweifenden Tanzpartys ihrer Vergangenheit. Doch als plötzlich, kurz vor Anbruch des Frühlings, Wesley die Stadt in panischer Furcht verlässt, droht sich CobyCounty für immer zu verändern. Wims Freundin, die intelligente Pianistin Carla, geht auf Distanz, der Agenturchef scheint krank vor Sorge, Wim lässt sich verführen. Er muss nachdenken: Ist seine Heimat nur zu retten, indem er ein neues Leben beginnt? Noch wird Wims Apartment vom Licht durchflutet, doch am Horizont kündigt sich bereits ein großes Unglück an …

Leif Randt, 1983 in Frankfurt am Main geboren, studierte in Gießen, London und Hildesheim. Er wurde u. a. ausgezeichnet mit dem Ernst-Willner-Preis in Klagenfurt, dem Nicolas-Born-Debütpreis und dem Düsseldorfer Literaturpreis. Leif Randt lebt in Berlin und in Maintal-Ost.

LEIF RANDT

SCHIMMERNDER DUNST ÜBER COBY COUNTY

Roman

Berlin Verlag Taschenbuch

MIX
Papier aus verantwor-
tungsvollen Quellen
FSC® C083411
www.fsc.org

3. Auflage April 2017

Dezember 2012
© Berlin Verlag in der Piper Verlag GmbH, München 2011
Umschlaggestaltung: Rothfos & Gabler, Hamburg,
unter Verwendung einer Abbildung des Gay Games Amsterdam Posters, 1997
© Wolfgang Tillmans, Courtesy Galerie Buchholz, Köln / Berlin
Druck und Bindung: CPI books GmbH, Leck
Printed in Germany
ISBN 978-3-8333-0854-3

www.berlinverlag.de

»Nicht für jeden wäre ein Leben in CobyCounty sinnvoll. Wer wenig Interesse an ausschweifenden Festen und sommerlichen Romanzen hat, dem würde ich davon abraten, in dieser Gegend hier ein Apartment zu mieten.«

*Tom O'Brian, 57, Besitzer eines Hotelturms

»Als wir die Kinder von CobyCounty waren, wussten wir noch nicht, dass wir an einem der besten Orte der Welt lebten. Heute ahnen wir es. Aber das macht es nicht leichter.«

*Wim Endersson, 26, Literaturagent

»Eine Krise der ansässigen Kosmetik- und Kulturindustrie ist jederzeit möglich, manchmal sogar erwünscht.«

*Jerome Colemen †, Kaufmann und Visionär

»Ich liebe diese Stadt!«

* Wesley Alec Prince, 26, Kunsthistoriker

1

Weil es der fünfundsechzigste Geburtstag meiner Mutter ist, stehen Senioren in beigefarbenen Regenmänteln auf der Dachterrasse. Am Himmel haben sich Wolken aufgetürmt, es nieselt ganz leicht. Meine Mutter spricht zur Begrüßung ein paar Worte und verweist auf die Bar. Dort stehe ich und winke. Für mich ist nicht auszumachen, welche der anwesenden Gäste Freunde meiner Mutter und welche normale Kururlauber sind. Die meisten wirken sympathisch auf mich, weil ihnen die schnell ausgetrunkenen Aperitifs fürsorglich glänzende Augen gemacht haben. Für diese Leute scheine ich noch ein Junge zu sein. Dabei bin ich schon seit sieben Monaten mit dem Studieren fertig, dabei verdiene ich schon Geld, dabei trage ich ein qualitativ hochwertiges Hemd. Das Hotel gehört dem Lebensgefährten meiner Mutter, er heißt Tom O'Brian und geht gelassen auf seinem eigenen Dach spazieren. Tom ist erst siebenundfünfzig. Manchmal kommt er an der Bar vorbei und macht Sprüche: *»Na, Wim, trinken wir einen Wodka-Apfelsaft zusammen?«* Wodka-Apfelsaft: das ist so ein Running Gag zwischen uns, seitdem ich mich vor sieben Jahren einmal in der Lobby übergeben musste. Es war nicht als Kritik an Tom O'Brian gemeint, es war schlicht ein Versehen, mir war im doppelstöckigen Linienbus schwindlig geworden und dann hatte ich die Strecke zum Bad unterschätzt. Ich greife unter die Theke und reiche Tom ein Bier aus der Kühlbox.

Er hat schmale Schultern und trägt ein Feinkordjackett, dazu helle Jeans und Wildlederboots. Bevor er weitergeht, klatschen wir uns ab, so wie ich früher in der Highschool meine engen Freunde abgeklatscht habe, demonstrativ und leicht verspannt. Den Hotelturm hat Tom vor elf Jahren erbaut, mit meiner Mutter ist er seit sieben Jahren zusammen, sie erarbeitet Marketingkonzepte, die den Nerv diverser Altersgruppen treffen. Selbst manche meiner Freunde checken im Frühling gelegentlich hier ein. Ich habe damit kein Problem, denn ich liebe ja Tom O'Brian und den Hotelturm und meine Mutter. In ihrem engen Hosenanzug und mit der klassischen Kurzhaarfrisur sieht sie leicht unterkühlt und sehr elegant aus. Im Laufe des frühen Abends frage ich sie, wie viele der Leute auf dem Dach sie schon einmal persönlich kennengelernt habe. Sie schaut sich um und sagt: »*Gefühlte achtunddreißig Prozent.*« Meine Mutter lebt seit über vierzig Jahren in CobyCounty, ich glaube, dass sie dabei immer ehrlich zu sich selbst war. Ich gieße ihr ein Glas mit Pepsicola voll. Die meisten ihrer Gäste bestellen leichte Mischgetränke und es kommt mir so vor, als würden die älteren Leute in CobyCounty wieder so trinken wie die Alkoholanfänger in CobyCounty. Als schließe sich da ein Kreis, und als seien die verschiedenen Altersgruppen in unserer Stadt freundschaftlich miteinander verwoben. Andererseits kann ich die Anwesenden gar nicht mit gutem Gewissen als ›*ältere Leute*‹ beschreiben, vielmehr sind es ›*vitale Frauen und Männer in ihren späten sechziger Jahren*‹. Viele von ihnen müssen wie meine Eltern als Zwanzigjährige nach CobyCounty gekommen sein, um zuerst Filmfirmen oder Verlage zu gründen und später Konzeptgastronomien zu eröffnen. Plötzlich denke ich, dass diese adretten Erwachsenen, die nun mit ihren glasigen Augen vor mir auf dem Dach herumstehen, wahrscheinlich einmal junge Avantgardisten gewesen sind. Als sich der Nieselregen zu einem Sturzschauer verdichtet, strecken viele von ihnen sofort ihre Arme zum Himmel und beginnen zu tanzen. Sie bewegen sich so, als würden sie sich alle zeitgleich an alte Camcorderaufnahmen von ihren früheren Tänzen im Regen erinnern. Meiner Mutter läuft Wasser aus den kurzen Haaren über das Gesicht, sie lacht und ruft die Leute ins Innere des Hotels. Die Bar, hinter der ich stehe, ist mit einer Plane überspannt, ich höre den Regen darauf eintrommeln und räume Weißweinflaschen in die Kühlbox. Bald klingt der Regen wie Hagel und die Plane flattert im Sturm. Wenig später trage ich die Box vor mir her ins Gebäude, noch fünf Senioren tanzen durchnässt übers Dach. Ich nicke ihnen zu. Aggressive Unwetter wie dieses sind Anfang Februar völlig normal, meine Mutter ist gut darauf vorbereitet.

In den Suiten im neunten Stock werden die nassen Kleider abgestreift und heiße Bäder genommen. Einige der Gäste machen sich nun sicher einen Partyspaß daraus, den Schaum durch die Badezimmer zu wirbeln. Ich stehe mit blanken Fußsohlen auf den beheizten Fliesen von Suite 914. Alles ist vorbereitet, die Wanne wurde mit dampfendem Wasser gefüllt, auf ihrem Rand glänzt ein Sektkühler. Mein Hemd hängt zum Trocknen über einer Stange. Plötzlich öffnet jemand die Tür. Die ehemalige VWL-Professorin Joline Caulfield und der betrunkene Cousin meiner Mutter treten ein, sie begrüßen mich herzlich und legen ihre Bademäntel ab. Ich mache einen Knoten in die Bändel meiner Schwimmshorts und ziehe meinen kaum sichtbaren Bauchansatz ein. Der austrainierte Cousin meiner Mutter, dessen Namen ich vergessen habe, hat weiße Haare auf der Brust, die er völlig selbstbewusst in den Raum streckt. Er steigt als Erster in die Wanne. Sie ist trotz ihrer ovalen Form groß genug für drei. *»Oder ist dir das unange-nehm mit uns?«* Ich habe nie bei Joline Caulfield studiert, aber immer viel Gutes über sie gehört. Ich sage: *»Ach was.«* Als wir wenig später bis zu den Schultern mit Schaum bedeckt sind und sich unsere Beine unten im Wasser jederzeit zu berühren drohen, reichen wir die Sektflasche im Kreis herum. Ich sitze an der Stirnseite, links Caulfield, rechts der Cousin, ich hätte Gläser nicht schlecht gefunden. Aus den Radioboxen an der Raumdecke grüßt meine Mutter. Sie hofft, dass sich alle wohl-fühlen und aufwärmen, und lädt für später zum Buffet in der Lobby ein. Joline Caulfield nimmt einen großen Schluck Sekt und fragt nach meinen Plänen für den Frühling. Ich blicke auf die schwarzen Träger ihres Bikinis. Die älteren Bewohner von CobyCounty gehen immer davon aus, dass der Frühling für uns Jüngere mit prägenden Neudefinitionen einhergeht. Als würden uns die Wochen zwischen März und Mai zu völ-lig unsoliden Figuren transformieren. Vermutlich denken sie das, weil es so in diversen Kultur- und Businessmagazinen nachzulesen ist. Über den Frühling in CobyCounty gibt es re-gelmäßig Reportagen mit szenischen Einstiegen: ›*Gegen zehn am Morgen hat das junge Paar aus Bristol UK noch lange nicht genug vom Tanzen im Sand.*‹ Und auf diese Sätze folgen dann immer Statistiken, die kaum zu glauben sind, und danach wieder Beschreibungen, die sich mit den eigenen Eindrücken merkwürdig vermengen.

Um in diesem Schaumbad nicht zur Projektionsfläche für eine ehemalige Volkswirtschaftsprofessorin und einen austrai-nierten Cousin zu werden, behaupte ich, dass ich im kommen-den Frühling vielleicht verreise: *»Mich interessiert, wie das Frühlingsleben an anderen Orten aussieht.«* Danach sage ich nichts mehr und sehe die beiden nachdenklich im Schaum sitzen. Wahrscheinlich fragen sie sich jetzt, ob ich nur ein besonders merkwürdiger später Jugendlicher bin, oder ob sie vielleicht doch ganz falsche Vorstellungen von Gegenwartsjugend haben. In Wahrheit plane ich natürlich nicht, im Frühling zu verreisen, in Wahrheit fiebere ich dem Frühling in CobyCounty genauso entgegen wie alle anderen auch. Joline Caulfield hält die Sektflasche in den schwülen Badedunst. Die Flasche ist von außen beschlagen, ich greife nach ihr und trinke und wundere mich, dass der Sekt noch perlt. Dann bricht der Cousin das Schweigen: »*Also wir sollten bald mal ans Buffet, meint ihr nicht?*« Als er sich aus der Wanne erhebt, hängt seine Brustbehaarung in dunkelweißen Streifen an ihm herunter. Er rubbelt sie mit einem Handtuch trocken und klatscht danach in die Hände. Nahezu synchron verlassen nun auch Miss Caulfield und ich das noch immer heiße Wasser.

Am Buffet treffe ich meine Mutter, sie hält ihre nächste Pepsicola in der Hand und hat frisch geföhntes Haar. Sie fragt, mit wem ich habe baden müssen. Ich erzähle es ihr und sage, dass es überhaupt gar kein Problem gewesen sei, meine Mutter grinst und fährt mir mit einer Hand über den Kopf: »*Viele sind noch gar nicht wieder aus den Bädern gekommen*«, sagt sie, »*da ergeben sich vielleicht ein paar Romanzen.*« Als ich ernst nicke, lacht meine Mutter: »*Ach Wim, irgendwann wirst du manches nicht mehr so eng sehen.*« Ich nicke wieder und atme aus und schöpfe mir etwas Fenchelcremesuppe in einen tiefen Teller. Bevor meine Mutter davongeht, drückt sie mich kurz an sich und sagt: »*Bald wird es Frühling!*« Ich schreibe Wesley eine SMS, in der steht, dass sich das Milieu unserer Mütter fast genauso auf den Frühling freut wie wir. Dabei kann ich gar nicht behaupten, dass unsere Mütter dem gleichen Milieu angehören, denn Wesleys Mutter hat CobyCounty vor eineinhalb Jahren als Neo-Spiritualistin verlassen. Sein Dad, der ein einflussreicher Webdesigner ist, aber aus Understatementgründen in einem kleineren Apartment lebt als sein Sohn, hat sie nicht daran hindern wollen. Wesley wird nie müde zu erwähnen, dass er CobyCounty liebt. Bislang bucht er nur im Sommer billige Flüge, verschwindet für lange Wochenenden und betrinkt sich an fremden Orten, bloß um dann an regnerischen Dienstagen völlig ermattet zurückzukehren: *»Woanders würde ich nur sehr früh sehr alt werden.«* Ich kenne Wesley seit fast vierzehn Jahren, aber ich habe noch nie zu ihm gesagt, dass er aufhören soll, sich etwas vorzumachen. Eigentlich habe ich auch nicht vor, ihm das jemals zu sagen. Denn eigentlich habe ich ja nichts dagegen, wenn sich Leute etwas vormachen.

Im Laufe der Geburtstagsnacht kommt es zu mehreren Gesprächen mit Personen, die mich schon kannten, als ich noch ein kleiner Junge in Jeansjacke war. Je angetrunkener ich werde, desto mehr berühren mich ihre lobenden Aussagen: Früher soll ich immer deutlich blasser gewesen sein. Auch soll ich jetzt häufiger lächeln und das würde mir gut stehen, ebenso wie mir mein Hemd gut stehen würde. Ich werde gefragt, ob ich zurzeit eine Beziehung, eine Freundin oder einen Freund habe, und ich erzähle, dass Carla heute leider krank ist und mit einer Wärmflasche in meinem Bett liegt. In Wahrheit liegt Carla ohne Wärmflasche in ihrem eigenen Bett, und solange sie erkältet ist, haben wir eigentlich nicht vor, uns zu sehen. Irgendwann fange ich an Gespräche zu führen, die mir in nüchternem Zustand zuwider wären. Als ich mich verabschiede, werde ich mehrfach umarmt.

Im Frühling reisen gutaussehende Touristen in unsere Stadt. Sie kommen mit Schnellzügen angefahren oder fliegen mit Discountflugzeugen ein. Wesley will sich zwischen Anfang März und Ende April Urlaub nehmen, um wieder auf direkte Weise den Kontakt zu diesen jungen Leuten zu suchen. Ihr Alltagsleben verbringen sie als talentierte Freiberufler in den Metropolen der westlichen Welt. Wesley würde auch den Kontakt zu Touristen aus anderen Kulturkreisen suchen, aber von denen fährt keiner jemals nach CobyCounty. Zumindest ist das mein Eindruck. Andererseits kann ich gar nicht sicher sagen, ob ich Touristen aus anderen Kulturkreisen tatsächlich erkennen würde. Rein ethnisch ist CobyCounty enorm heterogen. Mein Teint zum Beispiel ist ziemlich weiß, aber der von Wesley eher ockerfarben. Trotzdem würde man sofort annehmen, dass wir auf eine gemeinsame Vergangenheit zurückblicken, schließlich sind unsere Collegejacken mit den gleichen großen Buchstaben beflockt. Wir haben die CobyCounty School of Arts and Economics besucht. Wesley war für ›Kunstgeschichte seit 1995‹ eingeschrieben und mein Studiengang hieß ›Neues internationales Literaturmarketing‹. Heute haben wir Jobs, die vielleicht in keiner anderen Stadt der Welt so gut bezahlt sein könnten. Als Agent für junge Literatur sind meine Klienten teilweise noch minderjährig, ich streiche in ihren Texten Fehler an und verhandle später mit Verlagen über Vorschüsse und Royalties. Die Texte meiner Teenageautoren sind voll sprachlicher Wucht und sie zeigen uns älteren Jugendlichen, wie sich das Leben der jüngeren Jugendlichen heute anfühlt: Denen scheint ihr Schul- und Ferienalltag mittlerweile wie ein irrer, existenzieller Rausch vorzukommen, nicht mehr wie die leicht ironische Romantic Comedy, die Wesley und ich noch durchleben mussten. Als Teenager sind wir davon ausgegangen, dass ein Leben in kleinen, in sich abgeschlossenen Episoden stattfindet. Also haben wir uns irgendwann zum ersten Mal verliebt und es zu sinnlichen Knutschszenen auf Wiesen und Anhöhen kommen lassen. Später mussten wir tragische Trennungen hinnehmen und feierten dann aus Trotz ausschweifende Tanzpartys am Strand. Das Prinzip war, dass sich dieser Verlauf regelmäßig wiederholte: Sinnlichkeit, Trennung, Tanzparty. Gut daran ist, dass sich bis heute nie etwas verschlechtert hat.

2

Am Valentinstag finden jedes Jahr Filmpremieren im Promenadenkino statt. Dieses Jahr ist es eine leicht farbkorrigierte Langversion von *»Schimmernder Dunst über CobyCounty«*, also eigentlich gar keine echte Premiere, trotzdem sind die Tickets seit Wochen hart umkämpft. Sieben wurden in die Agentur geschickt, fünf hat sich mein Chef Calvin Van Persy persönlich mitgenommen, zwei blieben übrig. Ich habe Carla gar nicht erst gefragt. Zum einen ist sie noch immer stark erkältet, zum anderen weiß sie, dass die Filmpremieren am Valentinstag für Wesley und mich eine lange Tradition haben. Seit wir mit der Highschool fertig sind, waren wir dort jedes Jahr, anfangs mit den Eintrittskarten, die unseren Dads zugesandt wurden, später mit den Akkreditierungen unserer Hochschule. ›*Schimmernder Dunst über CobyCounty*‹ ist ein kritischer Dokumentarfilm über das leichte Leben in unserer Stadt, eine französische Jungregisseurin gewann damit vor zwei Jahren den Spezialpreis beim Festival von Cannes. Es heißt zwar, dass sie diesen Preis auf keinen Fall verdient habe, doch seit der Film in europäischen Programmkinos gezeigt wurde, kommen noch mehr attraktive Touristen im Frühling.

Wesley gibt Führungen im CobyCountyArthouse, dem konservativsten und teuersten Museum der Stadt. Während der Arbeit muss er helle Pullover und marineblaue Hosen tragen.

Alle Mitarbeiter des Museums sehen wie Seemänner aus alten Bilderbüchern aus. An Feiertagen sind sie sogar angewiesen, die dazu passenden Mützen aufzusetzen. Wesley weigert sich, so eine Mütze zu tragen, denn er findet Uniformen bedenklich. Sobald es um die Seemannsmützen geht, verhält er sich wie ein Sechzehnjähriger. In Wahrheit wird Wesley am siebzehnten Mai aber schon siebenundzwanzig. Früher hat mir die Idee gefallen, sich bis in den Joballtag hinein ein Stück Pubertät zu erhalten, doch mittlerweile ermüdet mich Wesleys Art manchmal, denn eigentlich geht es ihm ja gut. Er hat dunkelblondes, schulterlanges Haar, und wenn er an heißen Tagen in Badehose an einem Strandkorb lehnt, dann sieht er aus wie ein braun gebranntes einundzwanzigjähriges Herrenmodel. Eigentlich braucht er sich nicht zu beklagen.

Als er mich in der Agentur abholen will, ist es noch viel zu früh, die Premiere beginnt erst in zwei Stunden, also koche ich Kaffee und stelle uns einen Teller mit Obst auf den alten Eichenholztisch in der Küche. Die Kaffeemaschine arbeitet fast geräuschlos. Van Persy hat sie an einem Dienstag im Internet bestellt und schon am Mittwoch wurde sie von einem hageren Postbeamten in die Agentur getragen. Jedenfalls trinke ich jetzt jeden Tag mindestens zweimal Kaffee und es kommt mir tatsächlich so vor, als würde mich das optimistischer und produktiver machen. Dass ich Kaffee erst jetzt mit Mitte zwanzig kennengelernt habe, nachdem andere sich schon in ihrer Highschoolzeit ständig Pappbecher am Automaten abgefüllt haben, bringt mich manchmal zum Lächeln. Es ist ein bitteres Lächeln, denn im Kern lächle ich ja darüber, dass ich nach all den Jahren eingeknickt bin, und darüber, dass die anderen immer recht hatten. Ich gieße den Kaffee in Tassen, die mit Tiergesichtern bedruckt sind. Tiergesichter: das ist so ein Running Gag zwischen Wesley und mir.

Durch alle Fenster der Agentur kann man das Meer sehen. *»Ich gehe irgendwie davon aus, dass es in CobyCounty ausschließlich Büros gibt, die von Licht durchflutet werden«*, sage ich zu Wesley, der mir heute etwas verschwiegen erscheint, und Wesley sagt: *»Ja. Davon gehe ich auch aus.«* Wir schütten Rohrzucker in unsere Tiertassen und schauen in den farblosen Nachmittag hinter den Scheiben. Die Wolkendecke ist zwar zu dünn, als dass es aus ihr regnen könnte, doch erst ab Anfang März wird die Sonne wieder aus einem durch und durch blauen Himmel auf CobyCounty herunterbrennen. Nicht immer habe ich Augen für unser Panorama. Vielleicht kann man sich nicht sechsundzwanzig Jahre lang jeden Abend neu davon überwältigen lassen, wie die Sonne glühend im Meer versinkt und dann auf dem Pier die Lichterketten angehen. Vielleicht lasse ich mich manchmal aber auch nicht genug darauf ein.

Wesley hält seine leere Kaffeetasse vors Fenster. Er trinkt alles immer sehr schnell. *»Was ist das eigentlich für ein alter Tisch?«*, fragt er und befühlt das Eichenholz. Ich sage: *»Calvin Van Persy hat ihn aus dem Haus seiner Großmutter mitgebracht. Der Tisch soll der Agentenküche die Seele geben, die auch gute Texte brauchen.«* Wesley grinst und ich erwidere sein Grinsen. Augenblicke später schlägt er vor, einen Umweg durchs Industriegebiet zu fahren.

Im Industriegebiet haben die Lokale im Frühling vierundzwanzig Stunden am Tag geöffnet. Am Valentinstag schließen sie nicht vor drei Uhr nachts. Wir fahren auf alten Damenrädern an gut besuchten Suppenrestaurants und koreanischen Bistros vorbei. Es wird jetzt schlagartig dunkel. Ich kann Wesleys Dynamo summen hören, obwohl seine Lampe kaum leuchtet. Wir würden niemals ohne Licht fahren, dafür immer sehr schnell. Das bewahren wir uns: dieses sportliche Fahren im Stehen. Wir durchschneiden CobyCountys wandlungsfähigsten Bezirk und unsere halb geöffneten Regenjacken blasen sich im Wind auf. Viele der ehemaligen Fabrikräume von Colemen&Aura sind hell erleuchtet, und selbst im Vorbeirasen sehe ich, wie in einem der ersten Stockwerke eng getanzt wird. Soweit ich weiß, nehmen dort Paare jenseits der fünfunddreißig an therapeutischen Tanzkursen teil. In der Nacht, in der ich zum dritten Mal mit Carla geschlafen habe, waren wir dort in einem Seminar für neueren Flashdance. Als jüngste Teilnehmer brachten wir der Veranstaltung zu wenig Ernst entgegen und kehrten nie zurück. Heute leben Carla und ich unsere erwachsen gewordene Liebe primär via Shortmessages aus. Wir waren noch nie gut im Telefonieren. Durch die Leitung klingt meine Stimme auch dann müde und genervt, wenn ich gar nicht müde und genervt bin. Carlas Art, schriftlich immer neue, simple Metaphern dafür zu finden, dass sie mich sehr vermisst, gefällt mir.

Das Premierenpublikum hat sich im großen Empfangssaal des Kinos versammelt. Es steht mit seinen Straßenschuhen auf dickem, bordeauxrotem Teppich und viele halten sich wegen des Valentinstags an den Händen. Das Kino wurde erbaut, als sich CobyCounty gerade zur Kurstadt entwickelt hatte und vor allem alte Colemen&Aura-Kunden hier Bäder genommen und Fisch gegessen haben. Zu dieser Zeit hat es an jedem vierzehnten Februar Paraden gegeben, auf denen neue Produkte präsentiert wurden, insbesondere Parfums und edle Seifen. Die Aufzeichnungen, die es von diesen Paraden gibt, kursieren heute in manchen Onlineforen, sie werden zu Musikvideos verfremdet und als Grußkarten verschickt. Das CobyCounty von damals ist trotz dieser Videobeweise für manchen kaum vorstellbar. Meinem Geschichtsunterricht zufolge haben die Halbgeschwister Jerome Colemen und Steven Aura, die zwei wohlhabende Drogeristen waren, in CobyCounty zunächst nur eine sonnige Produktionsstätte für Hygiene- und Schönheits-artikel gesehen. Mit dem Bau ihrer ersten Beautyfarm hätten sie wenige Jahre später, eher unbewusst als kalkuliert, den Grundstein für die gesamte Kultur- und Tourismusszenerie der Stadt gelegt. In den Folgejahren habe es dann immer mehr junge Avantgardisten an diesen unverbrauchten, am Meer lie-genden Ort gezogen, sodass CobyCounty facetten- und tem-poreich heranwachsen konnte. International wird diese Ent-wicklung teils als ›fragwürdiges Industriemärchen‹ bezeichnet. Ohne die ›mächtigen Investoren aus der Kosmetikbranche‹ wäre auch das ›individuelle Engagement der jungen Zugereisten‹ un-denkbar gewesen, heißt es da. Oft wird auch vor dem örtlichen Klima gewarnt, dieses könne jederzeit prekäre Situationen er-zeugen. Mich haben solch indirekte Anfeindungen nie beson-ders beschäftigt, schließlich leben wir alle gerne hier. Unser Frühling ist fantastisch und stabil, der Sommer drückend, der Herbst mild, nur im Winter müssen wir uns vor Starkregen-schauern in Acht nehmen. So ist unser Klima nun mal, und eigentlich fiele niemandem ein, sich darüber zu beklagen.

In der Menschenmenge im Kinofoyer entdecke ich zwei meiner Autoren. Sie sind als Paar gekommen, sie ist neun-zehn, er einundzwanzig. Wenn ich die beiden nun sehe, ent-stehen allerhand Bilder vor meinen Augen, die ich aus ihren Texten kenne: erotische Szenen, abgründige Szenen, und Sze-nen, die ich streiche. Weil die Autorin mir das sicher ansieht, lächelt sie leicht verlegen. Ich umarme zuerst sie, dann ihren

Freund, beide auf meine neue, herzliche Art. Es kommt zu einem kurzen verbindlichen Drücken. Danach prosten wir uns zu und sagen: *»Bis bald.«*

Die Kinositze wurden neu bezogen, mit leicht aufgerautem, glänzendem Samt. Die Lehnen sind riesig und ich habe das Gefühl, dass sie schlecht für den Rücken sind. Wesley scheint neben mir zu versinken, er hatte nun schon einige Biere. Ich stelle eine Portion Eiskonfekt zwischen uns. Von überall her kann man es rascheln und knuspern hören. Die jungen Leute in CobyCounty sind Fans von redundanten, kleinen Snacks, trotzdem ist fast niemand übergewichtig. Das liegt vermutlich an unserer Liebe zum Sport, denke ich, während ein quadratisches Eiskonfektstück in meiner Mundhöhle zergeht. Mit Beginn des Films wird angetrunken applaudiert.

Auf der Leinwand ist zuerst unser Strand zu sehen, an einem eisblauen Tag, vermutlich im April. Zu hören ist nur das Meer. Es folgt ein trockener Schnitt in den irren Karneval des Industriegebiets: Mädchen und Jungs Anfang zwanzig, die sich in den Armen liegen, die tanzen und johlen. Wesley flüstert: *»Da! Da war ich! Hast du gesehen?«* Ich habe Wesley schon wieder nicht gesehen, aber ich nicke. Teile des Publikums sprechen die bekanntesten O-Töne laut mit: *»Wir träumen davon, eines Tages auf dem ColemenHills Softeis zu verkaufen.«* Und dann lachen alle. Als nach zweiundachtzig Minuten die Credits über die Leinwand fahren und mir die Namen vieler Statisten wie immer bekannt vorkommen, habe ich das Gefühl, dass im gesamten Saal ein warmer Zusammenhalt herrscht.

Im Foyer blicke ich sofort auf mein Handy: keine Nachricht von Carla. Sie ist also immer noch in der Lage, mich zu überraschen. Wesley und ich nehmen noch ein Getränk. Er sagt: *»Indem der Film ausschließlich Bilder von CobyCounty zeigt, verweist er ganz subtil auf eine Welt da draußen.«* Er führt seinen Strohhalm zum Mund und zieht eine große Menge Flüssigkeit aus seinem Longdrink: *»Gerade deshalb ist der Film auch international so erfolgreich.«* Wesleys Stimme klingt etwas höher als sonst und er ist nicht offen für Widerworte. Glücklicherweise sehe ich momentan auch keinen Anlass, Wesley zu widersprechen.

Draußen herrscht Sturm. Die meisten Premierenbesucher winken Taxis herbei, ihre Jacken und Mäntel flattern. *»Lass uns mal wieder mit der Hochbahn fahren«*, sage ich zu Wesley. Von dort oben sind gut achtzig Prozent des Stadtgebiets zu überblicken, und jetzt in der Nacht wäre zu erkennen, wie symmetrisch unsere Straßenlaternen angeordnet sind. Ich erinnere mich, dass dieser Blick immer sehr beruhigend auf mich gewirkt hat, schon als ich erst neun oder elf Jahre alt war. Aber Wesley sagt: *»Auf die Hochbahn habe ich heute überhaupt keine Lust. Es ist viel zu windig.«* Ich halte seine Aussage für abwegig, aber ich möchte nicht diskutieren, ich sage: *»Vielleicht hast du recht.«* Wesley war nie ein Fan der Hochbahn, er scheint sogar irrationale Ängste mit der Bahn zu verbinden. Laut Statistik hat es in den vergangenen siebzehn Jahren nur drei Verzögerungen im Betriebsablauf gegeben, soweit ich weiß keine einzige wegen Sturm. Die Hochbahn schwebt auf einer stabilen Schiene über die Stadt, täglich zwischen acht Uhr morgens und drei Uhr nachts, im Frühling sogar länger. Allerdings ist der Sturm der diesjährigen Valentinsnacht tatsächlich außergewöhnlich. Er zerreißt die Frisuren der Passanten und schleudert leere Getränkedosen aus den Mülleimern heraus. An Radfahren ist gar nicht zu denken. Wir stemmen uns gegen den Wind und schieben unsere Damenräder bis ins Industriegebiet, wo wir uns von den hohen Fassaden Schutz versprechen. In den Imbissen und Bistros brennt noch Licht. Überall scheinen sich Paare an Zweiertischen gegenüberzusitzen, Karaffen mit Wein zu bestellen und sich bemüht in die Augen zu blicken. Ich glaube nicht, dass es hier Beziehungen gibt, in denen der Valentinstag ungebrochen zelebriert wird. Vor unseren Füßen rotieren Sandkörner, manche fliegen uns in den Mund, also sprechen wir kaum. Es scheint mir, als hätte der letzte Longdrink Wesley ziemlich nachdenklich gemacht. Früher hätte er in dieser Stimmung ein leicht drastisches Gespräch gesucht, über die Unmöglichkeit aufrichtiger Erotik zum Beispiel, oder über die Angst, eines Tages mal selbst ein Dad zu sein. Heute weiß er sich zu kontrollieren. An unserer Kreuzung verabschieden wir uns mit einem gegenseitigen Nicken.

Als ich die Verkehrsinsel vor meiner Wohnung passiere, fürchte ich, dass die dort installierte Shampooskulptur vom Sturm aus ihrer Halterung gerissen werden und mich erschlagen könnte. Dabei weiß ich grundsätzlich, dass Colemen&Aura-Skulpturen mit ihren Schaumstoffkernen und den dünnen Pappmachéüberzügen dafür gar nicht schwer genug und eigentlich sicher sind. Die übergroße Shampooflasche biegt sich elastisch im Wind, ist jedoch bombenfest mit ihrem Sockel verschnürt. Ich schiebe mein Fahrrad in den Hof und kette es an.

Nach wenigen Stunden Schlaf stehe ich in Boxershorts auf meinem Balkon. Mittlerweile ist es windstill. Junge Frauen und Männer in hellen Uniformen durchkämmen die Stadt und lesen auf, was vom Sturm über die Straßen verteilt wurde. Sie schieben blaue Müllkörbe auf Rollen vor sich her und nutzen große Greifzangen. Sie hinterlassen glattgebügelten, in der Morgensonne glänzenden Asphalt. Erst spät fällt mein Blick auf die Verkehrsinsel und dann stehe ich für Augenblicke reglos da, drei Etagen über dieser neuen Lücke im Straßenbild. Ich umgreife das Balkongeländer und schlussfolgere, dass die Skulptur von den uniformierten Frauen und Männern frühmorgens planmäßig abmontiert wurde und dass sie vermutlich noch heute eine neue Werbeinstallation aufbauen werden. Gleichzeitig muss ich mir eingestehen, dass mich der Blick auf die nun unbespielte Verkehrsinsel deprimiert und dass ich vielleicht noch immer nichts dazugelernt habe. Wenn ich als Kind im Auto meiner Eltern auf der Rückbank saß, machte es mich traurig, wenn im Stadtbild neue Plakate auftauchten und dafür alte verschwunden waren. Meine Eltern behaupteten, das sei ein typisch kindlicher Reflex, ein Blick auf die Umwelt, der sich nach klaren Strukturen sehne. Heute fürchte ich, dass ich als Kind bereits Melancholiker war. An den wechselnden Werbeplakaten war für mich abzulesen, dass die Zeit verstreicht, dass Tage gehen und nicht wiederkommen. Es war eine schlichte Melancholie, in der ich mich auf dem Autorücksitz einlullen und wohlfühlen konnte, eine Stimmung, die keinerlei Konsequenz von mir verlangte, die wahrscheinlich harmlos, aber auch unproduktiv und lähmend war. Und jetzt entsteht gerade so ein Moment, da blitzt diese Stimmung wieder auf. Eine der uniformierten Arbeiterinnen von der Straße schaut nach oben, kurz halten wir Blickkontakt, dann winke ich und verschwinde ins Wohnzimmer. Mein Handy leuchtet. Carla behauptet via SMS, dass sie nicht mehr verschnupft sei. Sie fragt, ob ich ›unseren Sturm‹ gut überstanden hätte, und lädt mich für den frühen Nachmittag zu sich ein.

3

Carlas Wohnung ist über die letzten beiden Jahre ein wenig zu meiner komfortableren Zweitwohnung geworden. Bei Carla gibt es ein breiteres Bett und einen Fernseher, dessen Bildschirm man vom Bett aus gut sehen kann. Als wir uns noch nicht so genau kannten, haben wir abgeglichen, was wir uns von einer gut organisierten Liebe erwarten. Uns fielen zuerst die europäischen Vorabendserien ein, die wir als Kinder am Esstisch mit unseren Eltern angesehen haben. Wir erinnerten uns daran, wie unsere Eltern versuchten, sich über das TV-Programm lustig zu machen, es aber immer wieder einschalteten. Carla und ich glauben bis heute, dass auf diese Weise einige unserer biedersten Eigenschaften herausgebildet wurden. Und um uns von der Softness der Vorabendserien zu emanzipieren, haben wir uns am Anfang unserer Beziehung für ruppigen Sex entschieden. Weil wir aber bald anfingen, uns währenddessen albern vorzukommen, lieben wir uns heute vermehrt so, wie sich die Charaktere im europäischen Fernsehen mutmaßlich auch geliebt hätten. Man könnte in diesem Zusammenhang vielleicht sagen, dass wir uns in bestehende Muster eingefügt, dass wir aufgegeben haben. Vielleicht haben wir uns aber auch nur zu zwei sehr viel relaxteren späten Jugendlichen weiterentwickelt.

Als Carla mir die Tür öffnet, trägt sie eine kurze Hose und ein weit ausgeschnittenes Hemd mit schmaler Knopfzeile.

Ich kann viel mehr als nur ihren Hals sehen. Mir ist damals zuallererst Carlas perfekte, wie glattes Nylon glänzende Haut aufgefallen. Carla küsst mich sofort mit offenem Mund und legt dabei ihre Hände auf meinen Rücken. Mir kommt diese Geste auch nach zwei Jahren noch nicht abgenutzt vor. Sie fragt: »*Was ist los?*«, denn ich küsse nicht zurück. Ich sage: »*Entschuldige, ich war kurz in Gedanken.*« Carla zieht mich auf direktem Weg über den breiten Flur, an ihrem Piano vorbei, bis in ihr Schlafzimmer. Wir tapsen gemeinsam auf das zentral im Raum stehende Bett zu, ihre Füße auf meinen. Durch ein breites Fenster kann man das Meer sehen. Über dem Meer hängen Wolken, und Vögel ziehen vorbei, beschleunigt, wie von einem neuen Sturm getragen. Während Carla küsst, liegt ein Lächeln auf ihrem Gesicht. Das lässt auch mich lächeln, und dadurch geben wir uns beide das Gefühl, dass wir uns sehr darüber freuen, dass wir wahrscheinlich gleich miteinander schlafen. Wir ziehen uns relativ normal aus: Ich zerre mir mein unbedrucktes Sweatshirt über den Kopf, meine Haare laden sich elektrisch, und Carla knöpft ihr Hemd schnell bis ganz unten auf. Bald liegen wir am helllichten Tag übereinander. Carla gibt vor, es sehr zu genießen: Sie überstreckt ihren Hals nach hinten und umgreift mit ihren Händen meinen Po. Ich weiß, dass sich mein Po solide trainiert anfühlt, und zweifle in keinem Moment daran, dass wir uns auf einen befreienden, wenn vielleicht auch etwas flachen Höhepunkt zubewegen. Doch als ich das denke, passiert es auch schon. Carla hebt und senkt ihre linke Augenbraue, sie kennt mich gut genug. Dann überrascht sie mich, indem sie sagt: »*Geh mal weg.*« Als ich zurückweiche, fängt sie an, selbstständig an sich herumzuspielen, auf eine ausgestellt emanzipierte, enorm breitbeinige Art. Ich sitze währenddessen nackt auf der Bettkante und schaue zum Fenster hinaus. Carla atmet summend vor sich hin. Kurz habe ich das Gefühl, zusammen mit Carla in einem utopischen Sexraum zu wohnen. Wahrscheinlich weil die Wolken vom Sturm aufgesprengt wurden, weil jetzt plötzlich ein warmer Lichtstreifen auf unser Bett fällt. Bald hat auch Carla eine Art Höhepunkt, und danach küssen wir uns, so wie man sich küsst, wenn man sich ernsthaft mag, also fast schon asexuell, und nach mehreren kurzen, relativ trockenen Berührungen unserer Münder bleiben wir noch nebeneinander im Sonnenschein sitzen. Ich sage: *»Heute wohnen wir in einem utopischen Sexraum.«* Carla lächelt und haucht, dass sie mich vermisst hat. Ich finde diese Aussage in ihrer völlig unmetaphorischen Art gerade total angemessen.

Weil es Nachmittag ist und wir nach dem Sex in eine Kuchenstimmung hineingeraten, rufen wir den BakeryExpress-Service an. Bei BakeryExpress arbeiten ausschließlich Kunststudenten. Sie wirken oft unsicher und scheinen ihren Job kaum zu mögen, aber das ist natürlich ungemein charmant. Der Service ist teuer und eigentlich haben wir ihn nicht nötig, denn nur drei Häuser weiter hat gerade eine der besten Konditoreien der Stadt eröffnet. Allerdings gibt es die BakeryExpress-Kuchensorten nur über den BakeryExpress-Service und Carla durfte den Service in ihrer Jugend nie nutzen, weil ihre Eltern gegen stilisierte Bringdienste waren. Erst während unserer Beziehung ist sie ein echter Fan geworden, insbesondere von den fruchtdurchsetzten Sauerteigsorten. Am Telefon erzählt sie ihren Eltern manchmal, dass wir gerade wieder diesen *»irreguten Kuchen von dem Bringdienst«* essen, und das finde ich oft etwas kindisch von ihr, denn ihre Eltern haben ja nicht mehr vor, ihre Meinung noch zu revidieren.

Carlas Vater ist Musiker, die Mutter Onlineredakteurin, die beiden führen eine offene Beziehung, sie sind glücklich und haben Carla zu einem fantastischen Mädchen erzogen. Mich haben sie bisher erst zweimal getroffen, jeweils während unverbindlicher Abendessen, und Carla behauptet, dass sie mich sehr mögen.

Der Mitarbeiter, der den Kuchen bringt, wirkt schüchtern und überreicht Carla die Bestellung in einer Box aus recyclebarer Pappe. Wir geben ihm ein großzügiges Trinkgeld. Er schaut sich kaum um. Ich frage mich, was für eine Art von Kunststudent er eigentlich sein will, wenn er in eine unbekannte Wohnung blickend nicht versucht, möglichst viel wahrzunehmen. Als er sich verabschiedet, muss ich davon ausgehen, dass ihm nicht einmal das Piano im Flur aufgefallen ist. Carla ist vielleicht sogar noch musikalischer als ihr Vater, aber sie hat sich dagegen entschieden, aus ihrer Musikalität Profit zu schlagen. Sie nimmt ihre Lieder manchmal mit einem freistehenden Mikrofon auf und die Aufnahmen spielt sie dann nur ihren engsten Freunden vor. Zu meinem sechsundzwanzigsten Geburtstag hat sie mir eine digital nachbearbeitete Compilation mit ihren bisher größten Hits geschenkt. Ich kannte gerade einmal die Hälfte dieser Hits und muss leider auch zugeben, dass ich ihre Compilation nur selten anhöre, da ich kein besonders großer Fan von Pianomusik bin. Bei Pianos fallen mir immer nur Filme ein, in denen es ums Altwerden oder den Verlust einer sehr tiefen Liebe geht. Doch als Carlas Pianomusik an meinem Geburtstagsmorgen aus den Stereoboxen in meiner Küche schallte, hatte ich ausschließlich positive Assoziationen: ›*Meine Freundin ist begabt im Pianospielen.*‹ Oder: ›*Carla muss während der Aufnahme in dem weitläufigen Flur ihres Apartments gesessen haben, mit glatter*

Haut und zusammengestecktem Haar.‹ Carla steckt ihr Haar nämlich immer zusammen, sobald sie am Piano sitzt.

Nun steht sie vor mir im Eingangsbereich des Apartments und führt ihren Lieblingskuchen mit der Hand zum Mund. Als sie abbeißt, fallen mehrere Teigstücke auf den Parkettboden. Die Art und Weise, wie Carla ihren Kuchen überhastet genießt, kommt mir ehrlich und eigentlich schön vor. Trotzdem frage ich sie: *»Verlierst du mit Absicht so viele Krumen?«* Carla weiß, dass ich demonstratives Verhalten ablehne. Sie sagt: *»Ja, ich verliere sie mit Absicht.«* Wir lassen die Teigstücke im Flur liegen und kehren mit der Kuchenbox in das Schlafzimmer zurück. Carla hat einige Filme ausgesucht. Die weiteren Stunden des Nachmittags verbringen wir schweigend.

Die meisten Klienten besuchen uns gerne in der Agentur. Wahrscheinlich wegen des Kaffees und des Ausblicks. Wir empfangen sie nachmittags, sie essen etwas, sie trinken etwas, sie unterzeichnen Verträge. Ich würde nicht sagen, dass ich mit meinen Klienten befreundet bin, aber ich würde sagen, dass ich viel Verständnis für sie habe, auch für ihre Selbstzweifel. In der internationalen Presse kursiert seit Jahren die Ansicht, dass die Texte aus CobyCounty stilistisch zwar perfekt seien, dass ihnen jedoch der Bezug zu existenzieller Not fehle. Diese Haltung wird in Onlinemagazinen und Kommentarforen nachgeahmt. Und wenn Autoren noch sehr jung sind, dann lesen sie tendenziell viel in solchen Magazinen und Foren und laufen Gefahr, sich von diesen jederzeit abrufbaren Meinungstexten langsam zermürben zu lassen. Eine meiner wichtigsten Aufgaben sehe ich darin, die jungen Autoren auf die Lügen in den Digital- und Printmedien hinzuweisen: Zum Beispiel wurde auf der Webseite von *Le Monde* zuletzt behauptet, der Markt vertrage keine aufwendig gestalteten Bücher über Strandpartys mehr. In Wahrheit wollen die Menschen aber noch viel mehr über gute Zeiten in CobyCounty erfahren, das zeigen nicht nur die Verkaufszahlen, das erklärt sich von ganz allein: Wer nicht hier lebt, will sich ein Leben hier vorstellen, und alle anderen wollen ihre eigenen CobyCounty-Erfahrungen mit den Erfahrungen in den Texten abgleichen.

Ein guter Agenturtag beginnt mit Kaffee und zwei Shortstorys. Nach der Mittagspause, die ich oft in einem Bistro für üppige Gemüsesuppen verbringe, schreibe ich E-Mails und führe Telefonate. Heute spreche ich mit Mattis Klark, der mein allererster Klient war. Er möchte nach seinem Debütroman nun einen Band mit kürzeren Texten veröffentlichen. Das Projekt ist einfach zu betreuen, es sind schlichte, leicht anrührende Geschichten über einen manisch-depressiven Highschoollehrer. Ich finde fast keine Fehler und kann Mattis am Telefon für seine äußerst solide Orthografie loben. Er ist ein dankbarer, sonorer Typ, er zieht seinen Sohn alleine auf. Ich kündige ihm an, dass ich ihn auf eine Tasse schwarzen Tee besuche, sobald er mir auch die letzten beiden Erzählungen geschickt hat.

Am achtzehnten Februar, genau drei Wochen vor Carlas fünfundzwanzigstem Geburtstag und gerade einmal zwei Wochen vor Frühlingsbeginn, möchte mich Wesley am Springbrunnen der Colemen&Aura-Einkaufspassage treffen. Er hat am Telefon ungewohnt sachlich geklungen. Ich habe die Passage seit gut vier Jahren nicht betreten. Als Kind bin ich oft mit meiner Mutter hierhergegangen, wenn sie in den edlen Damenschuhgeschäften einkaufen wollte. In der Passage ist es angenehm hell. Das Dach besteht aus vielen quadratischen Milchglasfenstern, die Sonne wird gleichmäßig verteilt, es blendet niemals.

Wenn es in den Wintermonaten vor Ladenschluss dunkel wird, schalten sich überall Streulichtlampen ein, die alles so ausleuchten, dass man sein Gesicht in den verspiegelten Ladenscheiben als noch ebenmäßiger wahrnimmt. Meine Mutter hat mich bereits als kleinen Jungen nach meiner Meinung zu ihren Schuhen gefragt. Ich sagte gut begründete Sachen, ich sagte: »*Kauf die schwarzen. Die sind eleganter.*« Scheinbar war meine Mutter, die mich an ihren Reflexionen teilhaben ließ, von keinem Schuhmodell jemals überwältigt, sondern dachte vor jedem Kauf intensiv über Beschaffenheit, Preis und Kombinierbarkeit nach. Wenn sie sich dann für ein Paar Schuhe entschieden hatte, durfte ich mir noch ein Fischsandwich an einer der Imbisstheken aussuchen. Bis heute bevorzuge ich die harten, mit mehligen Fischbouletten belegten Brötchen. Carla macht sich manchmal darüber lustig, dass ich ein ›*Passagenkind*‹ gewesen sei. Ich kontere dann, dass ich es immer gerne war. Manchmal übertreibe ich auch und behaupte, dass ich sogar gerne in der Passage arbeiten würde, »*mal nicht das Meer sehen*«, habe ich einmal argumentiert, und Carla hat gefragt: »*Was hast du denn plötzlich gegen das Meer?*« Ich zuckte mit den Schultern: »*Gar nichts. Ich liebe das Meer.*« Und dann haben wir geschwiegen und irgendwann angefangen, relativ ehrlich zu grinsen.

Über dem Springbrunnen ist das Milchglas des Passagendachs von Normalglas unterbrochen. Einmal täglich wird so der Brunnen von der Sonne wie von einem Scheinwerfer angestrahlt. Ich sehe Wesley schon von weitem. Er sitzt auf der Kante des Wasserbeckens und beißt in ein Fischsandwich. Ich bin sofort etwas neidisch, thematisiere meinen Neid aber nicht. Gleich nach der Begrüßung bietet Wesley mir einen

Bissen an, ich verneine erst und greife dann doch zu. Die Fischboulette hat sich mit einer dünnen Schicht Ketchup vollgesogen, es schmeckt eigentlich gut, aber ich gebe Wesley das Sandwich gleich wieder zurück. Ich setze mich neben ihn: *»Wie geht's?«* Er hat sich sein dunkelblondes Haar hinter die Ohren gelegt. Es sieht aus, als sei er damit gerade durch Salzwasser getaucht und als hätte er es im Anschluss nicht gewaschen und geföhnt, sondern bloß trocken gerieben.

»Ich habe mit meiner Mutter telefoniert. Es geht ihr nicht besonders. Es geht ihr sogar schlecht.«

»Dann kommt sie bald zurück?«

Wesley schüttelt den Kopf: *»Nein, das sicher nicht. Im Gegenteil. Sie macht sich große Sorgen um uns ... Sie führt weiterhin diese Trainings durch, und man mag davon halten, was man will, aber zuletzt hat sie mit alten Videoaufnahmen gearbeitet, auf denen auch wir beide zu sehen waren. Wir beide als Sechzehnjährige ... und seitdem geht ihr eine bestimmte Szene nicht mehr aus dem Kopf.«* Wesley scheint sich so sehr auf das Sprechen konzentrieren zu wollen, dass er das angebissene Fischsandwich einfach zwischen uns ablegt: *»Meine Mutter hat immer wieder uns beide vor Augen, wie wir in der Dämmerung über den Strand laufen. Wir tragen weit geschnittene Nylonblousons, sodass wir fast wie damals mit sechzehn aussehen, wir gestikulieren und lachen ... und dann brechen wir ein. Als wäre da bloß Sand auf eine marode Kuppel gehäuft. Diese Szene sieht meine Mutter jetzt in jedem Training. Sie glaubt, dass uns etwas abhandenkommt, dass da eine innere Gefahr herangewachsen ist, in den allermeisten von uns. Eine Gefahr, die wir noch in diesem Frühling spüren werden, die ganz CobyCounty spüren wird ... Es sei denn, wir verlassen die Stadt.«*

Ich greife nach dem Fischsandwich, das zwischen uns liegt.

»Du bedenkst aber schon, dass deine Mutter Neo-Spiritualistin ist?«

»Meine Mutter hat die meiste Zeit ihres Lebens in CobyCounty verbracht, Wim, genauso wie wir. Sie kennt uns, und sie kennt die Stadt, und sie hat mich noch nie belogen.«

Vor der Passage kneife ich die Augen zusammen, das Tageslicht kommt mir jetzt deutlich zu hell vor. Ein cremefarbenes Taxi ist vorgefahren, und Wesley winkt mir im Gehen noch einmal zu. Als der Wagen mit ihm davonrollt, fährt er die abgedunkelte Seitenscheibe herunter und ruft etwas, das ich akustisch schon nicht mehr verstehe. Ich bin unsicher, ob Wesley mein Stutzen noch wahrnimmt, sehe das Taxi abbiegen und blicke dann auf mein Handy: keine Nachricht von Carla. Es ist ein völlig windstiller Nachmittag, weit entfernt rauscht das Meer, und die Sonne hat durchaus schon Kraft.

4

Ich schreibe Carla nicht, dass Wesley weggefahren ist. Ich möchte sie nicht beunruhigen. Dabei ist sie eigentlich keine Person, die sich beunruhigen lässt. Carla strahlt etwas aus, das ich an guten Tagen sehr mag, nämlich eine ausgeprägte Fähigkeit, Dinge zu relativieren. *»Selten ist eine Band so überwältigend, wie sie von ihren Fans beschrieben wird.«* Solche Sätze sagt Carla oft, sie werden aus ihrer großen Ruhe geboren, und meistens nehme ich diese Ruhe als eine Art Charakterstärke wahr. Nur an schlechten Tagen habe ich das Gefühl, dass mich diese Ruhe enorm träge macht, dass ich irgendwann neben Carla einschlafen und dann keinen Grund mehr sehen könnte, noch einmal aufzuwachen.

Wesley und Carla sind im Laufe unserer Beziehung zwar nicht zu engen Freunden geworden, aber zumindest reden sie jetzt miteinander. Anfangs zeigte Carla kein Interesse an Wesleys aufgeladenen Halbsätzen, und Wesley sah in Carla wahrscheinlich eine Persönlichkeit, die sich für abgeschlossen hielt und also längst stagnierte. Beide sind bis heute smart genug geblieben, um mir gegenüber keine dieser Einschätzungen jemals auszusprechen. Im Gegenteil: Wenn sie sich in meiner Anwesenheit begegnen, dann kommt es sogar vor, dass sie sich umarmen und drücken. Aber in den letzten Wochen sind sie sich kaum noch begegnet. Insofern kann Wesley gar nicht beurteilen, ob ich das Wetter auf Carla beziehe oder ob

35

ich nur allgemein besorgt bin. Seine Aussagen sind pauschal, aber trotzdem nicht falsch.

Im O'Brian-Hotelturm bitte ich das Mädchen an der Rezeption, meine Mutter aus ihrem Büro herauszuklingeln. Doch meine Mutter ist nicht im Haus. Das Mädchen an der Rezeption heißt Pia, sie blickt mich vertraut an.

»Soll ich ihr etwas ausrichten, Wim?«
 »Nein, ich glaube, ich möchte in der Lobby auf sie warten.«
 »Sie wird sicher bald kommen. Willst du etwas trinken?«

Ich kenne Pia bestimmt schon fünf Jahre lang. Sie ist absolut glücklich mit ihrem Job und die Hotelbesucher mögen sie, denn ihr Lächeln ist einnehmend und ihr Outfit immer gut zusammengestellt. Ich bitte um einen Eistee und habe das Gefühl, dass Pia mit steigendem Alter immer besser aussieht. Sie ist heute attraktiver als vor zwei Jahren und war vor zwei Jahren schon attraktiver als vor vier Jahren. Eventuell wird sich diese Entwicklung bis dreiunddreißig fortsetzen, ab dann wird aber sicher auch Pia bei jedem Foto auf günstige Lichtverhältnisse angewiesen sein, so wie eigentlich alle Mädchen. Ob für uns Jungs dasselbe gilt, kann ich nicht sagen. Ich gehe aber davon aus, dass unser Älterwerden vorteilhafter verläuft, zumal davon ja eigentlich alle ausgehen.

In der Lobby ist der schönste Platz von einem potenziellen Kururlauber besetzt. Ich glaube, dass es sich um einen Kururlauber handelt, weil er edelbraune Halbschuhe aus Glattleder trägt und sein Gesicht mit einer aufgeschlagenen New York Times verdeckt. Ich setze mich ihm gegenüber auf die harte Couch. Gegen Abend gibt es in der Lobby keine Sonne mehr, dann wird die andere Seite des Hotelturms bestrahlt, und von den Balkons der Suiten aus kann man den Tag im Meer verschwinden sehen. Die auf der Straße vorübergehenden Passanten haben Einblick in die Lobby. An Nachmittagen wie diesem spazieren sonst Einkäufer und Schüler und gepflegte Senioren durch den Schatten des Hotelturms, doch im Augenblick spaziert niemand, die Fußgängerzone ist menschenleer. Ich frage mich, ob die Leute vielleicht am Strand sind, ob sie dort bereits feiern, weil die Sonne schon so brennt. Und dann denke ich, dass wahrscheinlich gerade lauter Dinge passieren, von denen ich gar nichts weiß, und die genauso passieren würden, wenn ich nicht da wäre.

Ich möchte gar nicht erst darüber spekulieren, wo Wesley hingefahren sein könnte, ob nun nach Asien oder nach Südamerika oder sonst wohin. An manchen Tagen spekuliere ich einfach viel zu viel, vielleicht sogar an den meisten. Pia stellt ein hohes, von Kälte beschlagenes Glas voller Eistee neben mir ab, und ich lächle ihr dankbar zu. Sie lächelt ebenfalls und nimmt mich damit relativ stark für sich ein, dreht sich aber sofort wieder weg und geht zurück an die Rezeption. Als ich ihr nachblicke, kommt es mir vor, als hätte sie vor zwei Jahren tatsächlich noch dunkleres Haar gehabt und als wäre sie kleiner gewesen. Vielleicht liegt das an den Schuhen, die sie jetzt trägt. Oder das Mädchen an der Rezeption ist gar nicht mehr Pia, sondern ein neues Mädchen, das Pia nur ähnlich sieht. Dass ich das für einen Moment tatsächlich annehme, macht mir Sorgen: Vielleicht könnte ich schon bald selbst so durcheinander sein wie Wesley.

Einmal habe ich ihn ohne Absicht beleidigt, als ich sagte: *»Oft kommst du mir vor, als würdest du ein viel bewegteres Leben führen als ich. Dabei gehen wir vier Tage in der Woche* *auf dieselbe Schule und am Wochenende zusammen auf dieselben Feste. Vielleicht machst du nur etwas mehr Lärm.«* Wesley sprach darauf lange Zeit kein Wort mehr mit mir. Und auch nach seiner Phase des Schweigens hat er jede größere These über unsere Zukunft vermieden. Bis gestern eigentlich. Jetzt denke ich, dass diese lange Zurückhaltung vielleicht nicht gut war für ihn. Vielleicht hat sich auch seine Mutter zu lange zurückgehalten, vielleicht wegen Wesleys Dad, der immer so pragmatisch war, und vielleicht ist sie deshalb dann auf diese Zeremonien und Trainingsmethoden gestoßen. Der Neo-Spiritualismus ist ja eigentlich unbedeutend für CobyCounty, viele probieren ihn aus, so wie sie auch verschiedene Ernährungsweisen oder Sportarten ausprobieren. Wesleys Mutter hat das aber nicht so spielerisch sehen wollen, und dann stand sie mit ihrer ernsthaften Entscheidung für ein neo-spiritualistisches Lebensmodell ziemlich alleine da. Mit einem Mal schien für sie das Glückspotenzial unserer Stadt ausgeschöpft, und dann hat sie auch niemand mehr aufhalten wollen. Ich habe keine Ahnung, wo sie jetzt vorwiegend lebt, wahrscheinlich an einem Ort, an dem man diese Trainings ernster nimmt. Bislang ist sie jedenfalls nie zurückgekehrt, nicht mal für ein Wochenende, soweit ich weiß.

Als der Kururlauber mir gegenüber die Zeitung senkt, sehe ich zum ersten Mal sein Gesicht. Es wirkt sonnenverbrannt und gut genährt. Der Mann trägt ein fein kariertes Hemd, das unter den Armen sichtbar verschwitzt ist. Ich frage mich, ob er aus den USA kommt und ob er hier alleine auf Kur ist. Als er die New York Times langsam faltet und währenddessen vor sich auf den Lobbyboden starrt, tut er mir auf einmal leid. Ich nehme einen Schluck Eistee und dann berührt eine Hand

meine Schulter: *»Wim. Das ist ja eine schöne Überraschung!«*
Meine Mutter hat sich ihre Sonnenbrille in die Haare geschoben. Sie sagt, dass sie sich auch etwas zu trinken holt, und kommt kurz darauf mit einem Pappbecher und einer Glasflasche Pepsicola zurück. Sie stellt beides neben meinem Eistee ab. Dann geht sie auf den Gast mit der Zeitung zu und begrüßt ihn mit einem Händedruck: *»Na, genießen Sie gar nicht die Sonne?«* Er scheint sich über sein stark gerötetes Gesicht völlig im Klaren zu sein, er sagt: *»Ich hatte schon genug Sonne heute Vormittag, wie Sie vielleicht sehen ...«* Meine Mutter schlägt ihm vor, die Beautyfarm zu nutzen und seine Wangen mit kühlenden Pasten eincremen zu lassen. Er dankt ihr für den Vorschlag, steht auf und grüßt mich leicht skeptisch im Gehen.

»Macht der hier eine Kur?«, frage ich meine Mutter, und meine Mutter sagt: *»Nein, der macht einfach Urlaub. Er war die letzten zwei Jahre schon hier.«* Sie gießt ihren Becher voll. Erst jetzt bemerke ich, dass darin Eiswürfel aufgetürmt sind.

Ich sage: *»Es ist, als hätte der Frühling längst begonnen, findest du nicht?«*

Meine Mutter stutzt: *»Nein. Warst du mal vor der Tür? Der Wind ist noch total frisch. Ohne Anorak holt man sich da draußen eine Erkältung.«* Dann fragt sie, wie es mir gehe und wie es Carla und Wesley gehe.

»Uns geht es eigentlich allen sehr gut«, sage ich.

»Das klingt jetzt aber nicht sehr begeistert.« Ich denke, dass meine Mutter mittlerweile wissen sollte, dass ich selten sehr begeistert klinge. Sie nimmt einen Schluck Cola und beobachtet mich. Durch unser Schweigen laden wir die Situation künstlich auf, und plötzlich empfinde ich es als albern, mit der eigenen Mutter in einer Hotellobby zu sitzen und aufgeladen

zu schweigen. Ich will aufstehen, doch dann beginnt sie zu sprechen: *»Die Zeit rauscht und wir rauschen mit«*, sie bewegt sachte ihren Kopf, *»das ist nichts, worüber man sich Sorgen machen muss, Wim.«*

»Warum denkst du, dass ich mir Sorgen darüber mache?«

»Ich kenne dich seit deiner Geburt. Und du setzt dich eigentlich nur in die Lobby, wenn dir etwas auf dem Herzen liegt.«

Manchmal scheint meine Mutter mit ihren Phrasen wirklich identisch zu werden, dann benutzt sie abgegriffene Formulierungen auf eine Weise, als wären sie gerade erst von ihr erfunden worden. *›Du wirst altklug und bieder‹*, will ich sagen, aber ich kontrolliere mich und schweige. Denn meine Mutter ist ja eigentlich gar nicht bieder. Sie trägt den Wahnsinn einer fünfundsechzigjährigen Optimistin in sich. Und Wahnsinn ist ja das Gegenteil von Biederkeit. Also sage ich: *»Ach Mutter, du bist ein bisschen wahnsinnig.«* Meine Mutter lächelt darüber. Sie geht davon aus, dass solche Aussagen durch die Texte befördert werden, die ich beruflich lesen muss. Schon oft hat sie erwähnt, dass sie sich meine Lebenssituation, in der ich stets von brandneuen Manuskripten umgeben bin, als sehr anregend vorstellt. Dabei habe ich in meinem ganzen Leben noch von keinem einzigen Text wirklich profitieren können. Literatur ist etwas, das ich gut verstehe und kontrollieren kann, deshalb mag ich sie, aber nicht weil ich sie besonders interessant fände. Wenn ich das manchmal erzähle, also dass mich Literatur im engen Sinne gar nicht begeistert, dann glauben mir das die meisten Leute nicht. Und manchmal glaube ich es mir dann selbst nicht mehr so richtig.

»Wesley hat die Stadt verlassen«, sage ich unvermittelt.

»Um diese Jahreszeit?«

»Ja. Er glaubt, dass CobyCounty in Gefahr ist. Dass uns hier etwas abhandenkommt.«

»Und warum sollte es dazu kommen?«

»Ich bin nicht sicher. Vielleicht weil in letzter Zeit so viele komische Dinge passieren. Zumindest nimmt er an, dass viele komische Dinge passieren. Und seine Mutter bestätigt ihm das am Telefon.«

»Selbst seine Mutter sollte wissen, dass immer komische Dinge passieren, dass alles eine Frage des Blickwinkels ist. Früher wusste sie so was auch. Als ihr beide klein wart, ist sie richtig entspannt und smart gewesen … Wie lang ist sie jetzt eigentlich schon weg?«

»Seit eineinhalb Jahren.«

»Manche brauchen eben ein bisschen mehr Zeit. Aber schließ nicht von den Eltern auf die Kinder, das wäre kitschig. Wesley kommt eigentlich jedes Mal schnell zurück. Das weißt du doch.«

»Ja.«

»Also?«

»Nichts also. Ich werde jetzt ins Büro fahren. Entschuldige mich bitte. Und sag dieser neuen Pia vielen Dank für den Eistee.«

Draußen steige ich direkt in eine Trambahn, in Linie zwei, um etwas Zeit zu sparen. Eigentlich fahre ich nur ganz selten mit der Tram, denn die Bahnen sind langsam, langsamer als Fahrräder in jedem Fall, und sogar langsamer als manche Sportler. Aber ich habe das Gefühl, dass ich in letzter Zeit zu viel auf den Füßen unterwegs war. Wer immer nur läuft, macht sich zu unabhängig, der verliert vielleicht irgendwann den Bezug zur Gemeinschaft. Die Bahn ist voller Menschen. Ich halte mein Monatsticket in den Raum, aber es gibt niemanden, der es kontrollieren würde. Tramfahrten sind eigentlich nur im

Frühling kostenpflichtig, und der hat ja noch gar nicht begonnen. Ich setze mich auf eine Polsterung aus echtem Leder. An der nächsten Station steigt ein junger Mann ein, der mir sofort zunickt, so als hätte er schon vorher gewusst, dass er mich gleich treffen und grüßen würde. Ich brauche einige Sekunden, um zu erkennen, dass es sich bei dem jungen Mann um Frank handelt, die ehemalige Affäre von Wesley. Frank ist ein dürrer, schwarzhaariger Typ, der eine ironische Tätowierung am Unterarm trägt. Er stammt nicht von hier. In Paris soll er Teil einer erfolgreichen Band gewesen sein, das hat Wesley mal erzählt, viel mehr weiß ich aber nicht. Ich grüße ihn mit einem Nicken und hoffe dann, dass er nicht zu mir rüberkommt. Also blicke ich starr zum Fenster hinaus und versuche nicht darauf zu achten, wo in der Tram sich Frank gerade aufhält. Dabei weiß ich es eigentlich die ganze Zeit, er steht nämlich auf der anderen Seite, halb verdeckt von vier älteren Damen. Ich weiß, dass er mich beobachtet. Und als ich mich von dem Lederpolster erhebe und aussteige, da steigt plötzlich auch Frank aus. Er folgt mir.

Vor einiger Zeit, es müsste etwa sieben Wochen her sein, da saßen Wesley und ich und dieser Frank in einer Bar für deutsches Bier und redeten. Es ging meistens um den Frühling. Unter anderem um Situationen, in denen wir viel zu nüchtern auf Events auftauchten, auf denen Colemen-Rum in diversen Mixvarianten angeboten wurde und wo alle längst gesungen oder geknutscht haben. Während Wesley und ich unsere Geschichten gegenseitig ergänzten, wurden immer wieder volle Biergläser vor uns abgestellt. Weil es schmale Gläser und keine Krüge waren, wirkten die eigenen Geschichten von Glas zu Glas dynamischer auf uns, und immer häufiger mussten wir lachen, während wir erzählten. Dieser Frank ließ sich von unseren Anekdoten regelmäßig mitreißen, obwohl es Anekdoten waren, wie sie fast alle wohlhabenden jungen Menschen aus einem Kultur- und Kunstmilieu erzählen könnten. Doch Frank fühlte sich so sehr zu Wesley hingezogen, dass er sich ganz auf unsere Erinnerungswelt einließ und ehrlich lachen musste. Ich habe mich während des Abends gefragt, ob sich Frank eigentlich bewusst machte, was hier gerade geschah: Dass wir uns beliebig austauschbare Geschichten aus unserer jüngeren Partyvergangenheit erzählten, dazu Biere orderten und uns dabei auch noch wohlfühlten. Ich fragte mich, ob Frank sehen konnte, dass dies eine schrecklich erbärmliche Art der Kommunikation und daran eigentlich gar nichts gutzuheißen war. Im Grunde fragte ich mich, ob man diesen tätowierten Frank überhaupt respektieren sollte. Und ich glaube, dass sich auch Wesley das fragte, sonst hätte er sich vielleicht nicht so bald von ihm getrennt.

Frank war Wesleys vierte feste Affäre, Frauen kamen seltener vor, doch der Kontakt zu der einzigen Frau, für die er einmal viel empfunden haben will, hielt ganze zwei Jahre. Woran das lag, kann ich nicht genau sagen. Als Wesley mir im Alter von einundzwanzig erzählte, dass er nie mehr ein Mädchen küssen wolle, klang er wieder unnötig pathetisch, und das habe ich ihm auch gesagt. Schon eine Woche später küsste Wesley das nächste Mädchen, und auch in den Folgejahren hat er damit nie ganz aufgehört. Ich hatte eigentlich nie wirklich etwas mit Jungs, also nie nüchtern, und auch nicht leicht angetrunken, sondern nur in völlig entrückten Momenten, an die ich mich auch nur verwaschen erinnern kann. Es sind eher gute Erinnerungen, muss ich sagen, ich bereue sie nicht, aber es sind keine Erinnerungen an Liebe, denke ich. Ich verliebe mich, wenn ich ehrlich bin, nur in einen bestimmten Typ von Frauen: in die mädchenhaften, schmalen, hellhäutigen, die gut angezogen sind und irgendwie wohlhabend aussehen. Und das, obwohl uns schon die Lehrer auf der Primary School geraten haben, dass wir nicht Äußerlichkeiten verfallen sollen, sondern realen Charakteren, unabhängig von class und race und gender. Insbesondere vor Anbruch der großen Ferien wurden unsere Lehrer nie müde, uns das zu raten.

Dass mich Frank nun die Straße hinunter verfolgt, ist sicher keine direkte Folge dieses Abends in der deutschen Biergaststätte. Aber wahrscheinlich ist er noch immer traurig, weil Wesley nicht so verliebt war wie er, weil Wesley ihm irgendwann sachlich hat sagen müssen, dass die beiden jetzt besser keinen Sex mehr haben sollten. Und jetzt gehe ich für Frank wohl als Wesley-Assoziationsbild die Straße hinunter. Vermutlich geht er sogar davon aus, dass ich Wesley gleich zu vielen schmalen Bieren treffe und wir wieder abgegriffene Geschichten aus dem Frühling erzählen. Ich beschleunige meine Schritte, ich möchte nicht, dass Frank erfährt, wo ich arbeite. Irgendwann werde ich so schnell, dass mein Gehen fast ein Joggen ist. Ich stelle mir vor, dass auch Frank immer schneller wird und dass er irgendwann zu laufen anfängt, dass er aus einer Art Sprint heraus meinen Oberarm anfassen und sichtlich gehetzt fragen wird, wie es mir geht und ob ich etwas von Wesley gehört habe. Wie ich darauf dann reagieren soll, ist mir völlig unklar. Die entgegenkommenden Passanten scheinen sich über meinen gehetzten Gang gar nicht zu wundern. Wenige Meter von der Agentur entfernt, drehe ich mich dann wirklich um: Frank ist nicht da. Er muss längst abgebogen sein. Vielleicht hat er auch schon gar nicht mehr mitbekommen, dass ich immer schneller wurde. Kurz komme ich mir fast ein wenig enttäuscht vor. Mein Puls schlägt hart, ich atme aus, ich öffne die Tür.

In der Küche steht Calvin Van Persy und rührt sich einen Eiskaffee an. Er nimmt viel Vanilleeis und nur wenig Espresso, und erst irritiert mich das, aber dann denke ich, dass ich mir vielleicht auch öfter mal etwas gönnen sollte. Calvin hebt das Eiskaffeeglas zum Gruß. Er wirkt fast euphorisch: *»Wim Endersson sieht bedrückt aus. Eiskaffee?«* Ich nicke. Er füllt etwas weniger Vanilleeis in mein Glas, dafür mehr Kaffee, er weiß, dass ich auf Kaffee gut arbeite. Er bietet mir einen Platz an dem Eichenholztisch seiner Großmutter an, er grinst und macht einladende Armbewegungen. Dann sitzen wir voreinander. *»Probleme mit Carla?«* Calvin kennt Carla, weil sie mich manchmal in der Agentur abgeholt hat. Ich sage: *»Nein, wie kommst du denn auf die Idee?«* Calvin zuckt mit den Schultern. *»Ich habe nur überlegt, was los sein könnte. Du hast so tief liegende Augen irgendwie.«*

»Ich glaube, ich habe schlecht geschlafen«, sage ich.

»Mattis Klark hat seine letzten beiden Stories geschickt. Hast du die schon gelesen?«

»Nein, das mache ich gleich.«

Da der Eiskaffee bereits wirkt, freuen mich Mattis Klarks Erzählungen, dabei passiert in ihnen nichts Besonderes, sie halten lediglich ihr Niveau, aber dieses Niveau ist sehr in Ordnung. Bevor ich die Geschichten auf orthografische Fehler durchsehe, öffne ich sieben ungelesene E-Mails. Eine ist von meiner Mutter:

›Lieber Wim. Ich wäre dir heute Nachmittag gerne eine größere Hilfe gewesen. Vertraue auf deine Endersson-Energie! Nur das Beste von deiner Mum. P.S.: Diese neue Pia heißt Karin.‹

Ich antworte ihr direkt: ›Liebe Mutter, du brauchst mir keine Hilfe zu sein. Es ist alles okay.‹ Im Anschluss versuche ich Karin zu googeln, doch ohne ihren Nachnamen zu kennen führt das zu nichts, zumal der O'Brian-Hotelturm dank der Marketingkonzeption meiner Mutter keine Internetpräsenz zeigt. Ich frage mich, wie oft ich diese Karin schon für Pia gehalten habe und ob Pia nun überhaupt besser aussieht als vor zwei Jahren. Ich schreibe meiner Mutter eine zweite Mail: ›Was ist aus Pia geworden?‹

Im Laufe des frühen Abends, als sich draußen schon das Licht verändert, höre ich aus dem Badezimmer merkwürdige Geräusche. Es ist ein Würgen und Husten und es ist die Stimme von Calvin Van Persy. Ich klopfe an die Tür und frage, ob alles in Ordnung ist, auch wenn diese Frage sicher die letzte ist, die man hören will, wenn man in einem Badezimmer hustet. Calvin ruft: »Ich glaub, es liegt am Eis.« Mir leuchtet das sofort ein. Es ist möglich, dass die Kühlkette der Eisbox irgendwann unterbrochen wurde und dass sich pelzige Kristalle auf der Bourbonvanille gebildet haben. Ich frage noch mehr ungeschickte Sachen: »Kann ich dir irgendwas bringen? Und du meinst echt, das liegt am Eis? Hattest du so was in letzter Zeit schon mal?« Die Tür zum Bad ist natürlich abgesperrt. Calvins nächster Ruf ist ungeahnt souverän: »Das geht vorbei. Mach dir kein Sorgen, Wim. Geh am besten nach Hause.«

Ich packe die beiden ausgedruckten Erzählungen in einen der Stoffumschläge, die mit dem Logo unserer Agentur bedruckt sind, und warte darauf, dass ich anfange, mich fahl zu fühlen. Aber eigentlich fühle ich mich noch ganz normal, als ich die Agenturräume verlasse. Ich denke an das Vanilleeis, aber ich spüre dem Eis gegenüber noch keine Abneigung, und das ist ein gutes Zeichen.

Draußen ist jetzt ein Moment der Dämmerung erreicht, der die Gesichter der Passanten eher blass erscheinen lässt, anstatt sie vorteilhaft auszuleuchten, wie das zuvor sicher noch dem Sonnenuntergang gelungen ist. Wäre mir schon schlecht, würden mich diese tendenziell blassen Passanten wahrscheinlich ekeln. Mir gehen verschiedene Übelkeitsszenarien meiner Vergangenheit durch den Kopf: Weil Tom O'Brian damit ja nie aufhört, fällt mir zuerst die Hotellobby vor sieben Jahren ein, der Geruch von Apfelsaft und die schweigend vorübergehenden Kurgäste. Dabei habe ich mich seit damals noch unzählige Male übergeben. Auch einmal gemeinsam mit Carla, als wir uns im Winter eine dieser neu erbauten Eleganzholzhütten weit oben auf den ColemenHills gemietet und uns an Fondue-soßen den Magen verdorben hatten. Das war wirklich unangenehm, darüber können wir auch heute noch nicht lachen.

Am häufigsten muss ich mich an Tagen nach ausgelassenen Festen übergeben, aber das finde ich nicht schlimm. Oft ahne ich es sofort nach dem Aufwachen und eigentlich herrscht dann sogar eine gewisse Vorfreude. Insgeheim empfinde ich das Übergeben als rebellische Geste, als eine Art Befreiung von den Zwängen, mit denen ich lebe und die ich ja alle selbst zu verantworten habe. Wenn ich vor der Toilette knie und würge, weil ich in der Nacht zuvor viel zu viel getrunken habe, dann erdet mich das auf plakative Weise, dann bin ich irgendwie ganz bei mir und maximal ehrlich zu mir selbst.

Ich habe meine Wohnung fast schon erreicht und fahnde mittlerweile nach meiner frühesten Erinnerung an Übelkeit. Ich glaube, dass damals mein Dad dabei war und mir mein langes Haar zurückgehalten hat. Bis zu meinem sechsten Lebensjahr hatte ich nämlich eine Langhaarfrisur. Die meisten Jungs in der Vorschule trugen ihr Haar so, wahrscheinlich weil es unseren Eltern damals gefiel, uns wie Musiker oder Künstler aus einer anderen Zeit aussehen zu lassen. Sicherlich haben unsere Eltern auch bedacht, dass viele Jungs irgendwann dünnes Haar kriegen, und wollten ihren Söhnen so ermöglichen, wenigstens einmal im Leben eine prächtige Langhaarfrisur zu tragen. Mein Dad hatte immer eine hohe Stirn, aber das Bewusstsein darüber, dass er eine hohe Stirn hatte, stellte sich bei mir keinesfalls vor vierzehn ein, eher später. Zuvor war es einfach die Stirn meines Dads und ich habe sie mit keiner anderen Stirn verglichen. Als Kind ist man ja in der Lage, die Welt als eine Ansammlung von Fakten zu sehen, das ist eine dieser Fähigkeiten, die man manchmal gerne zurückgewinnen würde, aber meistens dann doch lieber nicht.

Mein Dad hat die Stadt verlassen, als ich zwanzig war. Für ihn war dieser Umzug vor allem ein Ausstieg aus dem Filmgeschäft. Nach seinem größten Misserfolg, der Kitschromanze ›CostaCostaCounty‹, hatte er das Gefühl, dass ihn hier nur alles unnötig an die schmerzhaften Kritiken erinnern würde, und an die Gewissheit, einen schlüpfrig-seichten Film produziert zu haben. Er kommt nur selten zu Besuch und trägt dann Echthaarperücken, um möglichst nicht erkannt zu werden. Letzten Spätsommer haben wir uns auf einen Teller voller Kebabfleisch mit Süßkartoffeln und Sesamsoße getroffen. Er hat mir damals dazu gratuliert, dass ich mein erstes Buch, den sentimentalen Adoleszenzroman von Mattis Klark, erfolgreich an einen Verlag vermittelt hatte. Dann hat er mir Fotos von seiner neuen Freundin gezeigt. ›Eine relativ ansprechende Dame‹, habe ich damals gedacht, aber nichts gesagt, sondern bloß warm genickt. Meinen Dad hat das sehr gefreut, dieses Nicken, und ich merkte, dass wir mittlerweile als zwei erwachsene Männer verschiedener Altersstufen im Kebabhaus voreinandersitzen konnten, sozusagen auf Augenhöhe, und diese Einsicht hat mich für einige Momente schrecklich traurig gemacht.

Ich denke nicht sehr häufig an meinen Dad, und dass ich nun ausgerechnet über das Thema Übelkeit auf ihn komme, halte ich für unangemessen. Noch am selben Abend kontaktiere ich ihn via Skype, vermutlich aus schlechtem Gewissen. An seinem Videobild erstaunt mich, dass er plötzlich einen richtigen Bart im Gesicht trägt. Ich freue mich darüber, denn so werde ich später vielleicht auch mal einen richtigen Bart tragen können, diese Behaarungsdinge vererben sich ja. »Wenn das mal keine Gedankenübertragung war. Ich hätte dich spätestens morgen angerufen!«, sagt mein Dad. Er erzählt, dass er im Laufe des Frühlings nach CobyCounty zurückkehren werde, mit seiner neuen Frau, der vierunddreißigjährigen Cassandra. Er habe ein Apartment auf dem zweiten ColemenHill gemietet. »Die Gespenster von ›CostaCostaCounty‹ sollten langsam verflogen sein«, sagt er in einem fast euphorischen Ton. Er ist kurz angebunden und legt schnell wieder auf, doch er grüßt herzlich durch die Kamera hindurch, mit einem erhobenen Daumen und seinem weißen Lächeln.

Ich frage mich, warum eigentlich alle älteren Menschen in meinem Umfeld diese Tendenz zu euphorischen Gesten haben, und ob ich auch mal so werde, wenn ich über fünfundfünfzig Jahre alt bin, so mitreißend und energetisch. Ich hoffe, so werde ich nie.

5

Als mein Dad zweiundvierzig und meine Mutter neunund-
dreißig war, kam ich als ihr erstes Kind zur Welt. Angeblich
haben sie sich ihr Sozialleben von mir aber nicht einschränken
lassen. Ich soll immer ein sehr enges Verhältnis zu meinen Ba-
bysittern gehabt haben, zu diesen freundlichen Kunststudenten, die aus dem damals noch preiswerten Industriegebiet zu
uns rübergefahren kamen, um mit mir Filme zu schauen, während meine Eltern unterwegs waren und tranken. Die jungen
Kunststudenten seien Neuzugezogene gewesen, so *wie einst
auch dein Vater und ich*«, erzählte meine Mutter letzten Sommer während eines Brunchs auf der Hoteldachterrasse. An
jenem Vormittag war ich wieder in meine naive Melancholie
hineingeraten und hatte von ihr erfahren wollen, ob meine
Geburt ihr Leben und das Leben meines Dads eigentlich sehr
zum Negativen beeinflusst hat: »*Als Mutter war ich über Jahre
hormonell so gesteuert, dass ich das neue Leben mit Kind nie
maßgeblich in Frage gestellt habe. Wie es bei deinem Vater war,
kann ich nicht sagen. Er hat mich irgendwann gemieden, spätestens seit ›CostaCostaCounty‹ der Misserfolg wurde, den ich
ihm schon nach der ersten Drehbuchfassung prophezeit hatte*«,
antwortete sie und ließ sich ein zweites Glas frisch gepressten
Orangensaft servieren. Ich empfand einen zweiten Saft immer
als einen Saft zu viel. Meine Mutter trug eine Sonnenbrille mit
leicht durchsichtigen Gläsern und ich hatte den Eindruck, dass

sie nur selten blinzelte. Komischerweise erinnere ich mich erstaunlich genau an diesen Vormittag auf der Dachterrasse, dabei ist dort eigentlich nicht wirklich etwas vorgefallen. Ich saß nur so da, meiner sonnenbebrillten Mutter gegenüber, vor einem Teller mit Brot, Konfitüre und Birnenscheiben, und sie klang etwas hart, als sie kurz vor ihrem zweiten Glas Orangensaft meinen Dad erwähnte. Das war eigentlich alles. Aber ich glaube, ich erinnere mich oft an Sachen, die nicht wichtig waren. Später an diesem Tag bin ich mit Wesley im Meer schwimmen gegangen, aber das weiß ich nicht sicher, das kann auch an einem anderen Tag gewesen sein.

Meistens, wenn mich etwas bedrückt, lese ich die E-Mails, die Carla und ich uns geschrieben haben, bevor wir ein Paar wurden. Wir haben uns mit diesen Texten damals sehr viel Mühe gegeben, und ich habe Carla für ein großes Schreibtalent gehalten. Sie beschrieb mir ihren Alltag und ich beschrieb ihr meinen Alltag, wir haben alles immer etwas überhöht dargestellt und von Details auf große Zusammenhänge geschlossen. Heute kommunizieren wir ja kaum noch über längere Texte, sondern über unsere Shortmessages und wahrscheinlich auch über unsere Blicke und darüber, dass wir uns anfassen und küssen. Was genau über das Küssen und Anfassen eigentlich kommuniziert wird, ist mir unklar. Man kann einen sanften Kuss ja nicht direkt übersetzen, man kann nur Sätze sagen wie: ›*Wir gaben uns einen sanften Kuss*‹, und in diese Sätze kann man dann wiederum viel Diffuses hineinprojizieren. An schlechten Tagen glaube ich, dass Küsse und die anderen Körperdinge eigentlich gar nichts kommunizieren, sondern dass wir damit nur einen Verhaltenscode erfüllen. Genauso wie mit dem Reden darüber. Oder mit der Art und Weise, wie wir

interessante und warme E-Mails formulieren, um die Körperdinge auf den Weg zu bringen.

Beim erneuten Lesen der alten E-Mails denke ich, dass
Carla und ich eigentlich bis heute ein strenges Regelwerk
befolgen. Aber ich denke auch, dass wir das beide wissen.
Wir wissen es auch dann, wenn wir uns ganz gewöhnlich in
die Arme nehmen, und dieses Wissen verbindet uns auf eine
spezielle Weise. Auf dieses Wissen bilden wir uns sicher auch
relativ viel ein, dabei haben dieses Wissen wahrscheinlich
viele Leute, zumindest wohl die allermeisten, die ebenfalls in
CobyCounty aufgewachsen sind.

Am dreiundzwanzigsten Februar ist es fast schon heiß, also
gehe ich in kurzer Hose auf die Straße. Carla wartet in Jeans
an der Verkehrsinsel. Als sie mich sieht, betritt sie die Insel
und posiert als Werbeskulptur. Zur Begrüßung geben wir uns
einen trockenen Kuss auf den Mund. *»Komisch, dass die hier
nichts Neues hinbauen«*, sagt sie. Ich antworte: *»Ich glaube,
das mit der Werbung hat sich erledigt. Die meisten wissen jetzt
wohl, dass die Shampoos von Colemen&Aura einfach die besten sind.«* Während ich rede, weiß ich gar nicht, warum ich
meine Sätze sarkastisch betone. Denn eigentlich halte ich
die Colemen&Aura-Shampoos ja tatsächlich für die besten.
Und eigentlich gibt es auch keinen Grund, diese Meinung
zu ironisieren, denn Shampoo benötigen schließlich fast alle
Menschen auf der Welt. Carla geht auch gar nicht auf meinen
Tonfall ein, sondern schweigt einfach, was ich sehr smart von
ihr finde.

Wir spazieren in das kleine Parkkarree zwei Straßen weiter,
wo diese charmante kleine Holzhütte aufgebaut wurde, aus
deren Fenster heraus nun Croissants verkauft werden. Wenn

Carla und ich miteinander Zeit verbringen, essen wir fast immer Backwaren. Würden wir uns häufiger treffen als zwei- bis dreimal die Woche, würden wir sicher zunehmen, glaube ich, aufgrund der vielen Kohlenhydrate. Vier Häuser von der Verkehrsinsel entfernt kündigt ein Fassadenplakat den ›besten Frühling aller Zeiten‹ an. Es ist eine Werbung für das Duschgel *AuraPro*. Kurz frage ich mich, wie es wohl riechen mag, ich blicke zu Carla, aber sie scheint sich nicht dasselbe zu fragen.

Der Croissantverkäufer in der edlen Fichtenhütte könnte auch eine hochgewachsene Frau sein, er ist recht dürr und hat ein fein geschnittenes Gesicht. Sein feminines Outfit unterstützt diese leichte Verwirrung. Meistens finde ich so ein Verklei- dungsgehabe ja etwas banal und oberflächlich, doch bei dem Croissantverkäufer kommt mir das irgendwie angemessen vor, weil er sich in die Umgebung dieser Parkanlagenminiatur einfügt wie eine Installation. Er erkennt Carla und mich und strahlt uns neidlos an, wir waren schon häufiger an seinem Stand. Die Croissants kommen in weißen Tüten, die sofort durchsichtig werden. Es sind schwere, französische Crois- sants, die sich im Bauch magisch auszubreiten scheinen, von denen man fast umgehend müde wird. Wir setzen uns auf eine glänzend lackierte Bank, halten rechts unsere Croissants und links einen Stapel Servietten. Ich sehe Carla an, dass auch sie panische Angst davor hat, Fettflecken auf ihrem Hemd zu hinterlassen. Wir beugen uns beide unelegant nach vorn, da- mit die Gebäckkrumen sicher auf den Rasen fallen und nicht auf unsere Frühjahrstextilien.

Carla fragt: *»Was machen wir nach dem Croissant? Legen wir uns dann hin?«*

»Nein, dann gehen wir joggen.«

»Lass uns doch heute mal so einen Tag machen, an dem wir alles so meinen, wie wir es sagen.«

»So einen Tag haben wir aber noch nie gemacht«, sage ich.

Und dann schauen wir uns, auf den Croissants kauend, an. Ich versuche ironisch mit einer Braue zu zucken, doch mein Zucken prallt an Carlas Blick ab, der gerade so knochenhart wird, wie ich ihn seit Monaten nicht gesehen habe: *»Was ist los?«*

»Ich mache mir manchmal Gedanken«, sagt sie. Ich schaue bewusst in eine andere Richtung, als sie das sagt, weil es mir vorkommt, als wollte mich Carla zu etwas herausfordern, auf das ich gar keine Lust habe. Mit einem Mal verhalten wir uns wie ein Paar aus einer Erzählung von Maren August. Maren August ist das Autorinnenpseudonym von Kevin Lulay, der ein Klient von uns ist. Ich kann seine leisen, zwischenmenschlich dramatischen Erzählungen, die er als Maren August schreibt, oft kaum ertragen. Sie sind voller Konflikte, wie man sie aus seiner Alltagswelt kennt, voll kleiner Unstimmigkeiten zwischen gutaussehenden Freunden und Paaren, und alles ist nachvollziehbar und schwierig und mich nervt das, aber viele Mädchen lesen so etwas sehr gerne. Ich weiß von Kevin, dass er sich dieses weibliche Pseudonym gesucht hat, um noch reicher zu werden. Natürlich sagt er das in dieser Härte nur, um dabei leicht zynisch und cool zu wirken. Denn in Wahrheit mag er seine Maren-August-Geschichten wahrscheinlich sehr, zumindest weiß er ihre Stimmung problemlos zu reproduzieren, und das gibt ihm sicher ein Gefühl von Souveränität und Stärke.

Carla mag Texte von Maren August eigentlich auch nicht, doch nun verhält sie sich selbst wie eine dieser Hauptfiguren, nämlich sentimental aufgeladen und insgeheim labil. Ich stehe von der Bank auf und werfe meine leere Croissanttüte in den bronzefarbenen Abfalleimer, der an der Holzhütte angebracht ist. Als ich zurück zur Bank gehe, schaut Carla in den Himmel, was ich wiederum als ziemlich albern empfinde. Ich berühre sie an ihrer linken Schulter und sage: »*Ist dir langweilig, Carla? Suchst du das kleine Drama?*« Ihr Blick streift mich kurz, dann schüttelt sie den Kopf.

»*Wann bist du eigentlich so geworden, wie du bist?*«, fragt sie einen Moment später und ich lasse sie los. Das ist eine Frage, wie sie ebenfalls in einem Text von Maren August vorkommen könnte, in einem der besseren. Ich antworte mit bewusst sonorer Stimme: »*Das weißt du doch. Du kennst mich relativ gut.*« Carla hebt die Schultern. Der Wind, der nun aufzieht, erscheint mir überflüssig, und um der Situation einen Bogen zu geben, sage ich etwas, das sich wieder auf unsere Croissants bezieht: »*Kann es sein, dass uns der Verdauungsprozess gerade etwas schwermütig macht?*«

Als ich dann allein zu Hause auf meiner ein Meter vierzig breiten Matratze liege, denke ich tatsächlich über unsere Beziehung nach. Ich denke: ›*Wir waren schon einmal passionierter miteinander.*‹ Das Wort ›passioniert‹ gefällt mir, und als ich es in Gedanken ausforme, flackern ein paar erotische Bilder vorbei: unsere vierundzwanzig- und dreiundzwanzigjährigen, problemzonenfreien Silhouetten, so als wäre das schon lange her und als hätte sich an unseren Silhouetten irgendetwas zum Schlechteren gewandelt. Dabei haben wir in Wahrheit jetzt flachere Bäuche als damals, weil wir mehr auf uns achten, und unser Sex sieht jetzt sicher dynamischer aus, weil wir weniger gehemmt sind und weil der ruppige Sex vom Anfang ja nie ganz ehrlich gemeint war. Ich überlege, Carla eine E-Mail zu schreiben, die sich mit ihrer Frage befasst: Wie bin ich zu dem geworden, der ich gerade bin? Mein Plan ist es, der Frage formal auf den Grund zu gehen, ganz vorne zu beginnen:

Ich wurde an einem achtundzwanzigsten September geboren, es soll ein goldener Nachmittag gewesen sein, gegen siebzehn Uhr. Meine Mutter erinnert sich an eine Außentemperatur von ungefähr zweiundzwanzig Grad, an eine tief stehende Sonne, und natürlich an den Obstkorb, den ihr das Krankenhaus geschenkt hat, an diesen Korb voller Äpfel und Trauben und Mandarinen. Solche Obstkörbe werden schon lange nicht mehr verschenkt, weder an Economy- noch an Privatpatienten, sie wurden nur drei Jahre lang überreicht, an die Eltern der Kinder, die jetzt zwischen vierundzwanzig und siebenundzwanzig Jahre alt sind. Wesley hat einmal behauptet, dass man es unserer Altersgruppe für immer anmerken wird, dass wir die Obstkorbkinder waren.

Außerdem erinnert sich meine Mutter an die Fahrt vom Krankenhaus nach Hause. Sie saß mit mir auf dem Rücksitz der Limousine meines Dads, der zu diesem Zeitpunkt bereits seinen größten Erfolg ins Kino gebracht hatte, die Komödie ›Mister Cheerleader‹. Auf dieser ersten Autofahrt durch CobyCounty hat meine Mutter mir damals angeblich schon vieles erklärt und durch die Seitenscheiben auf Dinge gedeutet, obwohl sie natürlich wusste, dass ich als Neugeborener noch gar nicht richtig sehen konnte.

In den Jahren danach lernte ich zu gehen und zu sprechen, sah Zeichentrick-, aber auch Spielfilme, und meine Mutter las mir Geschichten vor, die eigentlich gar nicht für Kinder geschrieben waren. Ich glaube mich zu erinnern, dass ich meine Mutter damals nur vorlesen ließ, weil ich spürte, dass sie das gerne tat, dass sie interessierte, was sie da las, obwohl ich selbst natürlich gar nichts davon verstand. Schon früh besuchte ich Workshops: auf Rasenfeldern, in Schwimmhallen, vor Flachbildschirmen. Vor allem aber gab es in jedem Bezirk mehrere Kunstklassen. Ich habe immer schlecht gemalt, doch meine Buntpapiercollagen gehörten zu den besten. Als ich zehn war, sagte einer der Dozenten, dass ich mit meinen Collagen eines Tages viel Geld verdienen könnte. Ich habe dann aber nur gut vier Monate lang mit Buntpapier gearbeitet und schon als früher Teenager entschieden, dass ich mich auf Bildende Kunst nicht einlassen würde. ›Mein Weg wird ein anderer sein‹, dachte ich damals, und ich dachte es als Überschrift für alles Mögliche, was in den Folgejahren geschah.

Wesley lernte ich in einem Eishockeykurs kennen, den wir bald gemeinsam abbrachen. Wir müssen zu dieser Zeit elf Jahre alt gewesen sein, Wesley vielleicht schon zwölf. Und irgendwann, etwa im Alter von fünfzehn, ging die Zeit der Kurse und Workshops dann vorbei, und die Phase der Romanzen, Trennungen und Strandpartys begann. Im Grunde dauert diese Phase vielleicht für immer an, denke ich jetzt manchmal, denn Erwachsenwerden ist ein ewiger Prozess, bis in den Tod hinein, oder, wie Wesleys Mutter behaupten würde, bis weit über den Tod hinaus. Ich bin stolz darauf, dass ich niemals einen Yogakurs besucht habe. Und täglich freut es mich, kein virtuoser Koch zu sein. Rückblickend habe ich das Gefühl, dass ich einer gewissen Linie immer treu geblieben bin, dass ich mich stets an dieser Linie entlang bewegt habe und so zu dem Wim Endersson geworden bin, der heute erfolgreich für Calvin Van Persy arbeitet und regelmäßig mit der talentierten Carla Soderburg schläft. Woraus diese Linie genau bestand, ist schwer zu definieren, aber sicherlich hat sie etwas mit meinen Neigungen und Vorlieben zu tun. Und diese Neigungen und Vorlieben haben sich wahrscheinlich in der Zeit zwischen der Autofahrt auf dem Rücksitz der Limousine meines Dads und den ersten Kunstkursen im Alter von dreieinhalb Jahren herausgebildet, also in einer Zeit, an die ich mich unmöglich erinnern kann.

Während mir diese Zusammenhänge und Abläufe durch den Kopf gehen, halte ich es immer weniger für sinnvoll, all das noch einmal für Carla in einer E-Mail zusammenzufassen. Denn eigentlich weiß sie das ja alles längst oder müsste es sich zumindest denken können. Und darauf habe ich sie ja schon auf dem Parkkarree hingewiesen, als ich ihr sagte, dass sie mich relativ gut kennt.

6

Ich erfahre es nicht zuerst durch die Medien, sondern live auf der Straße, als ich mit einem leeren Stoffbeutel auf den Supermarkt zugehe, um Erdnussbutter und Fruchtsaft zu kaufen. Plötzlich läuft eine Frau weinend an mir vorbei. Ihr Schluchzen klingt nicht nach einer persönlichen Tragik, auch nicht nach Krankheit oder Trennung, sie scheint aus Gründen zu weinen, die sie mit vielen anderen teilt. Ich drehe mich nach der Frau um, aber sie steigt sofort in einen Wagen und fährt davon. Von weit her sind jetzt auch Sirenen zu hören, mal lauter, mal leiser, es ist windig. Am Himmel ziehen wieder diese Wolken und Vögel vorbei, ich kenne das nun schon, das ist vielleicht alles nicht ganz normal. Ein älterer Mann hetzt über den Bürgersteig und ruft Sätze in sein Mobiltelefon: *»Bleib ganz ruhig ... bleib einfach ruhig ... die holen euch da raus! Die holen euch, hörst du!«*

Im Supermarkt herrscht ungewohntes Gedränge. Männer und Frauen schieben sich in den Eingangsbereich, unter zwei Flachbildschirme, von denen ich eigentlich immer dachte, dass sie überhaupt keinen Zweck erfüllen. Doch heute ist alles anders. Die Einkäufe werden unterbrochen, Bedienstete und Konsumenten versammeln sich und schauen gemeinsam zu den Bildschirmen hinauf. Selbst Passanten ohne Einkaufsbeutel betreten jetzt den Supermarkt, um mitzuverfolgen, wie unsere Hochbahn verunglückt ist.

Der TV-Sender zeigt vor allem eine einzelne Szene. Immer wieder die Szene, als die vorderen beiden Abteile der Hochbahn in einer Kurve von der Schiene kippen, als sie zu fallen drohen, dann aber doch noch aufgehalten werden, vielleicht vom Gewicht der hinteren Waggons. Die Moderatoren wiederholen sich viele Male, sie verweisen auf diejenigen, die erst später zugeschaltet haben. Auf Kamerazooms in das Innere der Bahn wird verzichtet, vermutlich aus Gründen der Pietät: Die Menschen in der Bahn müssen wahnsinnig panisch sein, vermutlich gibt es auch Verletzte, und das alles jetzt schon zu zeigen wäre vielleicht makaber. Das Bild bleibt in der Totalen und man sieht eigentlich immer dasselbe: die schief hängenden, im Wind wippenden vorderen Waggons, im blauen Himmel weit oben über den Dächern. Die Moderatoren sind sachlich, aber auch ergriffen, ihre Stimmen brechen mitunter weg. Ich bin nicht sicher, ob das so sein muss, aber wahrscheinlich haben sie es so beigebracht bekommen. Im Supermarkt sind einzelne Ausrufe zu hören, zum Beispiel: *»Wo bleiben die verdammten Helikopter?!«* Mit Hilfe von Helikoptern sollen die Passagiere sukzessive aus der Bahn herausgeholt und sicher zu Boden gebracht werden. *»Ja, wo bleiben die Helikopter!?«*, sage ich dann auch und klinge unfreiwillig ironisch dabei. Ein kahlköpfiger Mann dreht sich kritisch zu mir um und fixiert meine Augen. Ich halte seinem Blick stand, und dabei muss er eigentlich spüren, dass ich es gar nicht ironisch gemeint habe.

Ein Polizeitransporter rast am Supermarkt vorüber, und als ich wieder eine Sirene höre, bin ich nicht sicher, ob sie von dem Transporter selbst oder aus dem Lautsprechersystem des Supermarktes kommt. Der Ton scheint jetzt voll aufgedreht, die Moderatoren der Live-Übertragung werden immer lauter. Sie erwähnen, dass die Angstschreie der Hochbahninsassen bis hinunter auf die Straße zu hören sind, dass diese Schreie zum Schutz der Zuschauer jedoch aus den TV-Aufnahmen herausgefiltert werden. Im Supermarkt halten sich viele ihre Hände vor den Mund. Es sind unkontrollierte, total abgegriffene Gesten, und als ich mich frage, mit welcher Gestik ich selbst gerade aufwarte, verkrampfe ich total. Ich verschränke die Arme und lehne mich auf mein linkes Bein.

Die Gebäude unter der Hochbahn sind längst evakuiert, mittlerweile sind Aufnahmen von Menschen zu sehen, die mit Laptops und externen Festplatten auf dem Arm in ihre Familienvans flüchten. Dahinter Kinder mit riesigen Stofftieren und Mütter, die gerahmte Gemälde in geöffnete Heckklappen schieben. Sollte nicht bald Hilfe kommen, erklären die Moderatoren, könnten die vorderen Waggons für das ermüdete Schienenmaterial zu schwer werden, dann könnte die ganze Bahn früher oder später aus ihrer Führung herausbrechen und hinab auf die Gebäude fallen. Schäden in Millionenhöhe werden prognostiziert, zudem Imageschäden und persönliche Traumata.

Es ist möglich, dass einige der hier im Supermarkt Anwesenden um Freunde und Verwandte fürchten, die sich vielleicht gerade in der Hochbahn befinden. Einhundertneunzehn Personen sollen an der Fahrt teilgenommen haben, *»einhundertneunzehn Personen in akuter Lebensgefahr«*, die Moderatoren updaten diesen Satz regelmäßig, obwohl es eigentlich gar nichts zum Updaten gibt. Die Straße vor dem Supermarkt ist jetzt menschenleer, nur einmal sehe ich einen Schwung Fahrräder vorbeiziehen, vermutlich Zwölfjährige, die erst an der Unfallstelle bremsen werden. Als in der Live-Übertragung die ersten beiden Helikopter auftauchen, bricht unter den Supermarktbesuchern ein irrer Jubel aus. Plötzlich ist da Aufbruchstimmung, plötzlich werden Fäuste geballt. Bald schon sind es vier Helikopter, die um die Hochbahn kreisen und dann neben den frei schwingenden Waggons in der Luft zum Stehen kommen. Ab diesem Moment sind dann doch Großaufnahmen zu sehen: tapfere, blonde Mädchen werden von jungen Männern in die sicheren Helikopterkabinen gehoben. Es folgen Senioren und Frauen, Schlag auf Schlag, es ist ein Wettlauf gegen die Zeit, doch unsere Helikopterprofis gewinnen ihn. Zuletzt landen die Unglückspassagiere am Strand, und die Supermarktbesucher liegen sich in den Armen. Auch ich umarme und werde umarmt und fühle mich beim Blick in die erhitzten und restschockierten Gesichter enorm erleichtert.

Die größte Not ist nach insgesamt sechzig Minuten überstanden und es werden erste Interviews mit den Betreibern der Hochbahn gezeigt. Zuletzt vergesse ich die Erdnussbutter und verlasse den Supermarkt bloß mit zwei Packungen Fruchtsaft.

International wird man von diesem Zwischenfall in Coby-County sicher manches zu hören bekommen, schließlich ist es eine Katastrophe mit mildem Ausgang, die sich spannend nacherzählen lässt. Die regionalen Onlinemagazine berichten umfassend und sehr unterhaltsam, es wird viel mit Erlebnis- und Augenzeugenberichten gearbeitet, mit Handyaufnahmen und O-Tönen vom Unfallort. Ich verbringe ganze Vormittage mit diesen Beiträgen, lese auf CobyCountySpotlights.com sogar die User-Kommentare, die erst erscheinen, wenn man ganz nach unten scrollt. Da die Bewohner von CobyCounty gemeinhin keine Kommentare auf Nachrichtenwebseiten posten, wird in diesen kleinen, oft hämischen Texten der Neid von außen spürbar. Unser Bürgermeister Peter Stanton spricht von einer »*unentschuldbaren Tragödie*«, lässt großzügige Entschädigungen überweisen und verleiht den Helikopterpiloten diverse Auszeichnungen. Auf den öffentlichen Ehrungen werden die Piloten mit ihren silbernen Sonnenbrillen frenetisch gefeiert.

Ich traue Wesley zu, dass er auf seiner obskuren Reise auf Nachrichtenmagazine komplett verzichtet. Also sende ich ihm eine E-Mail mit Links zu den besten Artikeln und Videobeiträgen zum verhinderten Hochbahnabsturz. Die Mail ist eine Flucht nach vorn, ich schreibe:

›*Nun hast du deine Gefahr! Aus meiner Sicht hat die Stadt ihre Balance verloren, weil ein wichtiger Bewohner fehlt. Man vermisst Wesley Alec Prince. Noch sechs Tage bis zum Frühlingsstart, Junge ... *Wim*‹

Ich denke, dass Wesley mein nachgeschobenes ›*Junge*‹ als befremdlich anbiedernd empfinden wird. Um mich abzulenken, schalte ich die Compilation mit Carlas Pianomusik ein. Ich möchte nun wenigstens ihrer Musik eine neue Chance geben, wenn ich ihr selbst auf dem Parkkarree schon keine wirkliche Chance gegeben habe. Die ersten Töne erinnern mich daran, dass ich schon sechsundzwanzig bin, dann fällt mir das Bild von Carla in ihrem Flur ein, sehr aufrecht auf dem Klavierstuhl sitzend, etwas streng und indirekt sexy. Beim dritten Lied kommt es mir vor, als hörte ich die Aufnahme zum ersten Mal. Es ist wohl ein klassischer Walzer, aber ich kenne mich mit dieser Musik zu wenig aus, als dass ich das wirklich definieren könnte. Während des vierten Tracks schreibe ich Carla eine SMS:

›Höre gerade deine Musik. Das vierte Lied erinnert mich an ver-
liebte Vormittage bei Expresskuchen. Übst du noch viel? Wim‹

Sie antwortet nie sofort, natürlich auch dieses Mal nicht. Ich bleibe also auf dem Rücken liegen und zweifle meine Short-message an. Vielleicht sollte ich für heute aufhören, über Text zu kommunizieren, überlege ich.

7

Einmal im Monat bestehen meine Mutter und Tom O'Brian darauf, mich zum Essen einzuladen. Sie holen mich immer mit dem Auto ab, selbst dann, wenn wir Restaurants in meiner Nachbarschaft besuchen. Normalerweise verabreden wir uns einige Tage im Voraus und meist freue ich mich auf das Essen und die Autofahrt dorthin. Aber heute rufen mich die beiden erst an, als sie bereits vor meiner Haustür geparkt haben. Sie erzählen, dass sie das gute Wetter auf einer Restaurantterrasse ausnutzen wollen, bevor bald alles wieder voller Touristen sein wird. Ich winke ihnen von meinem Balkon aus zu und rufe: *»Wartet kurz. Ich muss mir noch Schuhe anziehen.«*

Auf der Rückbank von Tom O'Brians stark klimatisiertem Off-Road-Van erreicht mich dann eine Shortmessage von Carla:

›Ich habe versucht es anzudeuten. Jetzt weiß ich es sicher. Mit einem Jungen namens Dustin fängt für mich eine neue Zeitspanne an. Das wird besser für uns beide sein. Ich bleibe deine Vertraute. In allgemeiner Liebe. *C.‹

Ich lese die Shortmessage nur ein einziges Mal. Die kühle Luft der Klimaautomatik umweht meine blanken Waden und ich denke, dass ich Carla nicht vorwerfen werde, dass sie sich via SMS getrennt hat. Man sollte immer die Wege gehen, die man am virtuosesten geht. Ihre Form ist die SMS, sie bleibt sich treu, das ist prinzipiell gut, mit einer Kritik daran würde ich es mir nur leicht machen. Es liegt ja auch kein Konflikt vor, es gibt ja auch keinen Grund zur Wut. Vielmehr ist diese SMS, die mich nun etwas fahl auf die Straße hinausblicken lässt, die Folge einer wahrscheinlich klugen Sachentscheidung, kitschlos und individuell. Carla muss von naiver Liebe übermannt worden sein, sie gesteht es sich ein und zieht Konsequenzen. Im Grunde kann ich mich nicht beklagen. Wir hatten eine wirklich gute Zeit, und nicht alle Menschen erleben eine Trennung auf diesem Niveau.

»Hast du auch Lust auf Pizza?«, fragt Tom O'Brian und schaut mich durch den Rückspiegel an. Er hat vermutlich nicht mitbekommen, dass ich eine SMS erhalten habe. Ich sage: *»Ja, auf jeden Fall.«*

Also stoppt Tom seinen Van vor einem rot angestrichenen Pizzahaus. Hier gibt es keine Terrasse, der Plan scheint über den Haufen geworfen, manchmal entscheiden meine Eltern recht impulsiv. Erst überlege ich, im Wagen zu bleiben, weil es dort kühler ist. Aber dann möchte ich mir doch die Beine vertreten. Ich bitte meine Mutter, mir eine Rucolapizza mitzubringen, *size medium*, mit Cocktailtomaten. Der Parkplatz ist prall von Sonne beschienen und ich habe das Gefühl, dass mich das Licht innerhalb kürzester Zeit rot einfärben könnte, obwohl es noch nicht einmal Frühling ist. Doch augenblicklich ist mir das egal. Ich laufe etwas auf und ab und lese Carlas Shortmessage in Gedanken viele Male. Ich habe sie sofort auswendig gelernt.

»Warum weinst du?«, fragt ein Junge, der gefühlte elf Jahre alt ist und aussieht, als ginge er gerade zu seinem Basketballtraining. Ich unterdrücke mein Schluchzen nicht, ich antworte: *»Wahrscheinlich, um vor mir selbst ein leicht dramatisches*

Bild abzugeben. Um angemessen zu reagieren.« Der Junge schaut mich für Momente aus seinem türkis gestreiften Trikot heraus an. Er ist sicher ein großartiger Junge, der eine Sportler- oder Intellektuellenkarriere vor sich hat, und ich glaube, dass er mich intuitiv versteht. Als er wortlos weitergeht, formuliere ich in Gedanken eine lange E-Mail an Carla, einen anrührenden, mächtigen Text, der sie vielleicht noch einmal zum Nachdenken bringen würde. Ich habe aber nicht vor, diese E-Mail jemals zu schreiben, sondern tippe stattdessen eine Shortmessage, etwas gehetzt sogar, um sie noch abschicken zu können, bevor Tom und meine Mutter mit den Pizzakartons zurückkehren. Ich tippe:

›*Ich nehme deine Entscheidung zur Kenntnis und bereite mich jetzt ebenfalls auf einen neuen Abschnitt vor. Alles Gute.*‹

Der Innenraum des Vans wird sofort vom Geruch der Pizzaschachteln dominiert: geschmolzener Käse und Chiliöl und eventuell Schinken. Ich bin nicht sicher, ob ich Schinken wirklich am Geruch erkenne oder bloß am Kontext. In diesen positiven Dunst hinein schlägt Tom O'Brian vor, sich doch lieber zu Hause amerikanische Komödien im Pay-TV anzuschauen, anstatt sich auf eine Restaurantterrasse zu setzen. Das Wetter bliebe nun ja monatelang gut genug. Meine Mutter ist begeistert. Ich kann die Idee der beiden gut verstehen, doch ich behaupte, bis morgen noch ein ganzes Manuskript lesen zu müssen. Sie finden das schade, aber akzeptieren es, und Tom lässt mich an der Verkehrsinsel aussteigen. Meine Mutter wünscht mir einen ›*produktiven Leseabend*‹, doch sie meint diese Formulierung natürlich nicht ernst, sondern in einem übertragenen, leicht selbstironischen Sinne.

Weil ich annehme, dass ich energie- und kraftlos bin, warte ich schweigend auf den Hauslift. Als sich die Tür öffnet, sehe ich mich im Spiegel und komme mir breiter und aufgedunsener vor als noch am Morgen. Ich stehe nun also in meinen Frühjahrstextilien da, in dieser ziemlich kurzen Hose und dem weißen Poloshirt, fahre mit dem Lift in den dritten Stock und halte eine Pizzaschachtel auf dem Arm. Seit Carlas SMS sind erst fünfzig Minuten vergangen, doch ich stehe nicht mehr unter Schock und empfinde auch keine Trauer. Viel eher ist es eine leicht abgestandene Melancholie, die ich jetzt fast dankbar in Empfang nehme.

In der Wohnung schalte ich den Fernseher ein. Es ist, als würde ich das Gerät zum ersten Mal seit Jahren einschalten, dabei habe ich vor vier Tagen doch die aktuelle Folge von ›College Ohio‹ angeschaut, wie auch in allen anderen Wochen davor. Auf Programmplatz eins läuft eine altmodisch moderierte Sportsendung, mit Studiogästen und Beiträgen zu internationalem Fußball. Ich setze mich auf mein Bett und drehe den Ton lauter. Früher habe ich keine einzige Ausgabe dieser Sportsendung verpasst. Ich versuche so zu tun, als wären die Zutaten auf der Pizza alt und der Teig längst aufgeweicht. Doch ich muss einsehen, dass der Käse aromatisch, der Rucola frisch und der Teig knusperdünn ist. Die Wahrheit: Ich esse eine phänomenal gute Pizza und bekomme fantastische Spielzüge von den besten Vereinsmannschaften der Welt präsentiert. Das Bild auf meinem TV-Schirm ist hochauflösend, und durch die geöffnete Balkontür weht ein milder Wind. Letztlich bleibt mir ja auch gar nichts anderes übrig, als diesen Zustand hinzunehmen. Und vielleicht ist das insgeheim sogar einer der schönsten Zustände seit Wochen.

Carlas Shortmessage klang, als wollte sie vorläufig keinen Kontakt mehr. So gesehen könnte sie genauso gut verschwunden oder sogar verstorben sein. Als ich das Wort ›verstorben‹ denke, zieht sich mein Hals zusammen. Wenn ein Bewohner von CobyCounty stirbt, gibt es meistens ein Fest, auf dem zuerst geweint und später frenetisch getanzt wird. Aber wenn man verlassen wird, gibt es nur gewöhnliche Strandpartys oder Partys in Bars und Bistros, und auf denen sind Tränen eher peinlich. Manche fangen an sehr viel zu lesen, sobald sie labil sind, alte Texte, in denen Leute aus einer anderen Zeit von ihrer eigenen Labilität erzählen. Als ließe sich das, was früher war, mit dem vergleichen, was heute ist. Andere flüchten sich in religiöse Rituale. Doch ich habe erst wenige Leute persönlich kennengelernt, die sich als religiös definierten. Mit siebzehn kam mir das falsch vor. Als würde ich bewusst ferngehalten von den religiösen Teenagern, von denen ich nur vermutete, dass es sie in unserer Nachbarschaft gab. Mir kam es teilweise vor, als würden in CobyCounty religiöse Lebensmodelle subtil ausgegrenzt. Dabei gibt es durchaus bekennende Juden, Christen, Muslime, Buddhisten, Hindus und so weiter in CobyCounty, aber die leben ihren Glauben meist nur privat aus. Versammelt trifft man sie höchstens in ihren Stammrestaurants. Im Bistro am Kanal ist der Fenstertisch zum Beispiel regelmäßig für eine christliche Splittergruppe reserviert. Wenn ich dort Pasta mit Meeresfrüchten esse, denke ich: ›*Hier treffen sich nun also wieder diese soft gelaunten Katholiken und trinken ihre Weißweinschorlen.*‹ Und dann fällt mir auf, dass mir die Katholiken in ihren v-förmig ausgeschnittenen Strickjacken nicht sehr sympathisch sind. Bis heute konnte ich in diesen Stammrestaurants auch noch keine Gemeinschaft ausmachen, die nicht vorwiegend auf gute Stimmung aus gewesen wäre, so wie ja alle Menschen vorwiegend auf gute Stimmung aus sind. Niemand möchte missgelaunt auf sein Lieblingsgericht blicken, und so gesehen sind wir vielleicht alle religiös. Nicht auf so eine getrieben paranoide Weise wie Wesleys Mutter vielleicht, in der man gleich das Land verlassen will, aber auf die Art, dass wir durchaus an irreale Dinge glauben. Wesley war zum Beispiel immer sicher, dass er eines Tages den Mann oder die Frau seines Lebens treffen würde. Und Carla hat eigentlich bis vor kurzem geglaubt, dass ich der Mann ihres Lebens bin. Zumindest musste ich das annehmen.

Spätabends, als im Fernsehen Werbung für frivole Onlinedienste läuft, beginne ich, unsere Beziehung anhand früher Dokumente aufzuarbeiten. Die letzte E-Mail ist sieben, die erste fünfundzwanzig Monate alt. Ich beginne wieder vorn. Carlas Briefe vom Anfang kamen mir ja noch vor wenigen Tagen wie die wahrsten Texte überhaupt vor. Heute lese ich sie und weiß, dass es das Mädchen von damals gar nicht mehr gibt, also auch nicht mehr die Wahrheit von damals. Konserviert sind nur die Sätze, die wir ausgetauscht haben, weil sie in unseren E-Mail-Accounts gespeichert sind. Carla ist eine neue Carla geworden und ich ein neuer Wim. Der Wim von heute hätte die Carla aus unseren ersten Wochen wahrscheinlich viel besser wertschätzen und lieben können, denke ich jetzt, während es draußen schon wieder hell wird. Die Carla von damals liebe ich heute vielleicht am allermeisten, viel mehr als die Carla der Gegenwart. Vermutlich werde ich die Carla von heute schon bald vergessen, aber das ist dann ja nicht mehr schlimm, denn dann wird es schon die Carla der Zukunft geben, und mit der habe ich ja nichts mehr zu tun. Es kommt mir plötzlich so vor, als wäre die Herstellung von Glück ausschließlich eine Frage des Timings. Und dieses Timing ist uns nicht optimal gelungen. Während hellblauer Sonnenaufgänge wie heute wird es mir vielleicht auch in vielen Jahren noch schwerfallen, diesen Fakt zu akzeptieren.

Tom O'Brian erfährt von meiner Trennung als Erster, weil ich ihm beim Einkaufen begegne. Er wundert sich darüber, dass ich meinen Korb so überlade. Ich begründe es damit, dass ich vorerst nicht so oft mein Apartment verlassen möchte: *»Nach einer Trennung nimmt man viele Bäder und schaut TV-Shows, die man offiziell niemals ansehen würde. Dafür brauche ich Proviant.«* Tom O'Brian lacht über meine Aussage, aber sein Lachen wirkt eher freundlich als spontan. Er möchte keine Details hören, was ich total angenehm finde, sondern wartet stattdessen mit einem allgemeinen Statement auf:

»Wim, du wirst in diesem Jahr sechsundzwanzig.«
  »Nein, ich werde schon siebenundzwanzig.«
  »Wie auch immer ... Du hattest diese Beziehung jetzt zwei Jahre? Und es war doch sicher eine tolle Zeit. Was willst du mehr? Du lebst in CobyCounty und der Frühling bricht an ... es kann dir doch eigentlich gar nicht besser gehen!«

Tom O'Brian steht in seinem Feinkordjackett vor mir und hält einen Sechserpack Gingerbeerdosen in der Hand. Als er mit dem Sprechen fertig ist, zwinkert er mir zu. Ich bin kurz unsicher, ob mich seine Aussage sauer macht oder ob sie mich freut. Er sagt mir ja nichts Neues, aber er sagt es doch aus einer Selbstverständlichkeit und Lebenserfahrung heraus, die mir in diesem Moment, vor dem Joghurtregal stehend, durchaus imponiert. Ich greife nach einer Packung Milch und sage:

»Ja, du hast natürlich recht. Eigentlich mache ich gerade auch eher so eine Art Urlaub, als dass ich ernsthaft trauern würde.«

»Na bitte. Willst du auch zur Kasse?«

»Nein, ich brauche noch ein paar Sachen.«

»Okay. Dann sehen wir uns bald. Zu deinem Klassentreffen? Aber komm ruhig schon mal früher vorbei. Am Dienstag checkt ein Schwung Kopenhagener Grafikdesignerinnen bei uns ein …«

Zum Abschied klatschen wir uns weit oben in der Luft ab. Ich stelle für diese Geste extra meinen Einkaufskorb und die Milchpackung auf den Boden neben uns. Unsere Verabschiedung sieht sicher etwas skurril aus und unsere Handflächen knallen laut aufeinander, doch in diesem Supermarkt dreht sich keiner zu uns um.

8

Eine elektronische Stimme meldet sich und verweist darauf, dass es keine Mailbox gibt, trotzdem folgt dann der übliche Signalton. Eine Zeitlang wurden sehr viele Mobiltelefone mit dieser Mailboxansage bespielt, ich habe sie in keiner Phase leiden können. Ich hinterlasse also auch keine Nachricht, zumal ich weiß, dass Wesley seine Nachrichten niemals abhört. Aber ich weiß auch, dass er die SMS, die er erhält, zumindest in Form einer kurzen Vibration registriert und meist sogar liest, wenn auch nur selten beantwortet. Ich schreibe:

›Ich finde, du warst jetzt lange genug unterwegs. Du solltest am Sonntag auf das Opening am Airport kommen. Das wird sicher nett.‹

Während die Nachricht über das mobile Funknetz raus an Wesley geht, denke ich darüber nach, dass in unseren Dialogen das Adjektiv ›nett‹ noch nie eine Rolle gespielt hat. Wesley wird dieses Adjektiv sicher befremden, so wie ihn wahrscheinlich auch das Wort ›Junge‹ befremdet hat, das in meiner E-Mail stand, die bislang unbeantwortet blieb.

Mattis Klark kommt nie in die Agentur, sondern besteht darauf, dass ich ihn besuche. Er lebt in einer schmalen Doppelhaushälfte weit draußen, jenseits des Stadtzentrums, alleine

mit seinem Sohn. Die Mutter ist irgendwann ins Industriegebiet gezogen, wahrscheinlich, um ihre verpasste Jugend nach-
zuholen, Mattis erzählt nicht viel von ihr. Die Geschichten in
seinem neuen Buch spielen an einer Highschool in Minnesota, obwohl ich sicher bin, dass Mattis noch nie in Minnesota
gewesen ist, und soweit ich weiß auch noch nie in den USA.
Wenn ich mir Bilder von Minnesota ansehe und diese mit den
Beschreibungen in seinen Geschichten vergleiche, finde ich
keine Übereinstimmungen, aber das gefällt mir. Mattis Klark
schreibt über sein eigenes Minnesota, das eigentlich nichts mit
der Realität, aber sehr viel mit seinen persönlichen Wünschen
zu tun hat, so viel, dass es fast ein bisschen peinlich ist. Seine
Hauptfigur ist wie er selbst schon Mitte dreißig, ein hagerer,
manisch-depressiver Lehrer, der Ethik und Sport unterrichtet.

Ich nehme den doppelstöckigen Linienbus, der direkt vor der
Agentur hält. Als ich einsteige, ist der Himmel hellblau und
die Sonne sticht. Ich kenne den Fahrer, wir grüßen uns herzlich, dabei haben wir noch nie miteinander geredet. Der Fahrer trägt einen gepflegten Vollbart, seine Zähne blitzen weiß
hervor, und seine Augen strahlen, als begeisterte er sich für die
ganz kleinen Sachen auf der Welt. Doppelstöckige Linienbus-
se wie diesen hat es in CobyCounty von Anfang an gegeben,
bereits als Shuttle für die Mitarbeiter von Colemen&Aura,
zwischen Industriegebiet und Wohncampus. Der Wohncampus soll damals auf den ColemenHills gestanden haben, auf
diesem heute so teuer gewordenen Areal, das immer weiter
mit Villen und Penthouses bebaut wird. Ich muss zugeben,
dass ich eigentlich kein großer Fan dieser Gegend bin. Die
üppige Schönheit ihrer Grundstücke drängt sich zu sehr auf,
man blickt von dort oben auf das Stadtzentrum, auf die Prome-

nade und auf den Strand hinunter, und ich finde, das macht es einem alles zu leicht. Im Gegensatz zu meinem Dad würde ich niemals auf einem ColemenHill wohnen wollen. Mir hat es immer gereicht, dort gelegentlich zu parken, in Richtung Meer zu blicken und ein Collegemädchen zu küssen.

Ich gehe die Treppe im Bus nach oben und setze mich links ans Fenster. Die meisten Passagiere um mich herum tragen Kopfhörer, einige schlafen. Draußen fahren Jugendliche auf Mountainbikes über die breiten Bürgersteige, ihre leicht bepackten Nylonrucksäcke weisen darauf hin, dass sie gerade aus ihren Ganztagsschulen kommen. *›Sie fahren ihren Ferien entgegen.‹* Mit Regen ist nicht zu rechnen. Es ist heute, drei Tage vor Frühlingsbeginn, längst möglich, den Abend Fußball spielend oder mit Skateboards und Bierdosen auf den Straßen zu verbringen. Noch vor einigen Jahren, als ich gerade erst zwanzig war, haben mich solche Wetterlagen manchmal ein bisschen traurig gemacht. Weil ich dann lieber wieder zwölf oder vierzehn gewesen wäre anstatt schon zwanzig. Heute gelingt es mir, diese überraschend milden Nachmittage trotzdem zu genießen. Ich stelle mir dann einfach vor, dass ich noch immer dieselben Dinge tun könnte, die ich mit zwölf oder mit vierzehn hätte tun können.

»Warst du heute schon skaten?«, frage ich Mattis Klark als Erstes, denn ich bin sicher, dass er früher einmal Skateboard gefahren ist, er strahlt das aus. Mattis steht in der Haustür, grinst und schlägt bei mir ein. Wenn wir einschlagen, dann klatscht es immer laut, unsere Hände treffen sich genau in der Mitte. Mattis geht es bei diesem Einschlagen, wie wohl den meisten älteren Männern, sicher um Selbstironie und gute Stimmung.

»Ich hab gerade ein bisschen Workout gemacht«, sagt er,

»*vielleicht wird dann auch bald mal wieder was aus Skateboarding.*« Als Zweites frage ich ihn, wie es seinem Sohn Max geht, damit zeige ich, dass ich an seinem Leben teilnehme. Mattis sagt: »*Ich glaube, Max hat sich gerade zum ersten Mal verliebt. Aber er geht recht abgeklärt damit um.*« Im Eingangsbereich des Hauses riecht es nach künstlichem Pfirsich. Mattis gestikuliert mit den Armen: »*Dieses AuraPro-Duschgel ist eine Zumutung. Tut mir leid.*« Er muss in meiner Mimik gelesen haben, dass mich der Pfirsichgeruch irritiert.

Als ich Mattis kennenlernte, war ich noch Student. Er kam als Praxisgegenstand in eines unserer Seminare, die Dozentin sagte über ihn: »*Ein schwer zu vermittelnder Autor. Er ist schon über dreißig und lebt als alleinerziehender Vater in den Suburbs.*« Sein erstes Buch wurde mein Projekt für den Masterabschluss. Die anrührende, scheinbar autobiografische Erzählung verkaufte sich solide, ich bekam eine Eins-Komma-zwei auf meinen Master und dann den Job bei Calvin Van Persy.

Mattis serviert schwarzen Tee, der nicht lange gezogen hat. In der Mitte des Wohnzimmertisches stehen Kekse in einer nussbraunen Schale aus Holz. Diese Kekse waren mir schon bei meinem ersten Besuch suspekt, ich frage mich, ob sie jeden Tag in Mattis' Wohnzimmer stehen oder nur, wenn er Gäste empfängt. »*Du hast hier wieder diese Kekse ...*«, erwähne ich und Mattis nickt: »*Ja, ich bin ziemlich süchtig nach den Dingern. Max auch.*« Er nimmt einen der Kekse in den Mund, beißt zu und lächelt. Unseren Tee trinken wir mit fettarmer Milch. Ich zähle die sechs Verlage auf, die Mattis' Erzählband unkommentiert abgesagt haben. Ich wähle immer diese Reihenfolge: zuerst die schlechten Nachrichten, dann die sehr guten. Die beste Nachricht ist, dass vier Großverlage umgehend Interesse angemeldet haben. Mattis gibt an, dass ihm eine Auktion dieses Mal sehr recht sei, sein Sohn entwickle nämlich langsam ein Faible für teure Sportschuhe. Und damit hat Mattis eigentlich schon alles gesagt, was ich hören muss. Er schiebt sich einen weiteren Keks in den Mund und merkt, dass ich in seinen Garten blicke. Auf dem Rasenquadrat stehen weiße Kunststoffmöbel, die von der Sonne schon leicht gelb gefärbt wirken. *»Warum sitzen wir eigentlich nicht da draußen?«*, frage ich. *»Heute ist doch so ein Tag, da könnte man abends schon Fußball spielen gehen.«* Ich sage den Satz nicht sehr enthusiastisch, sodass man ihn mir eigentlich nicht abnimmt, und Mattis muss deshalb kurz lachen.

Keine zehn Minuten später sitzen wir mit scharfen Drinks im Garten. Mattis ist ein Liebhaber von gutem Gin und großen Eiswürfeln, er ist etwas kitschig in seinem Trinkverhalten, vielleicht weil er schon vor über zwölf Jahren Vater geworden ist. Ich fühle mich wohl in seinem Garten, auf diesen leicht maroden Stühlen mit dem exquisiten Gin in der Hand. Der Rasen wurde scheinbar lange nicht gemäht, unsere Schuhe verschwinden darin. Als Max von seinem Basketballtraining nach Hause kommt, merkt er sofort, dass sein Vater angetrunken ist. Er weiß damit umzugehen. Er grüßt kurz und geht dann gleich ins Haus. Ich habe den Eindruck, dass mich Max eher nicht cool findet. Während sein Vater aussieht wie einer, der vielleicht mal ein guter Surfer war, sehe ich aus wie einer, der sich nie für Surfen interessiert hat, der aber trotzdem gern neben Surfertypen auf Gartenmöbeln sitzt. Auf dem Weg in sein Zimmer greift Max in die Keksschale. Mattis bietet mir eine Zigarette an, die ich ablehne. In diesem Moment glaube ich, dass Mattis ein Typ ist, der pathetisch um Sportplätze joggt und dabei an seine Exfrauen denkt. Einer, der die warme Tragik eines schnell dahineilenden Lebens genießt. Einer, der sich gerne schweigend in der Sonne aufhält und jedes Mal annimmt, dass ihm Leute dabei zusehen. Ich trinke das zweite Glas Gin zügig leer. Mattis raucht und schweigt. *»Hey Mattis«*, sage ich und merke, dass ich auch schon recht angetrunken bin, *»ich glaube, ich versuche eine Art Stereotyp in dir zu erkennen. Ein Stereotyp, das mir irgendwie gefällt.«* Mattis bläst Rauch in seinen Garten: *»Ich weiß. Und das ist doch super.«* Dann sitzt er lächelnd da. Einerseits bin ich total überrascht von seiner Antwort, andererseits überhaupt nicht: Mattis ist ein schlauer Kopf. Gut möglich, dass selbst die Kekse in der nussbraunen Holzschale eine bewusste Entscheidung sind. Überhaupt ist sehr vieles möglich und überhaupt bin ich noch relativ jung. Aber das sind Gedanken, die sich immer einstellen, wenn ich anfange betrunken zu sein. Vorübergehend kommt mir die Welt dann komplex und magisch vor. Ich sage zu Mattis: *»Dein Gin macht einen guten Rausch.«* Er nickt. Später fragt er: *»Hast du Lust, tanzen zu gehen?«*

Weil Mattis darauf besteht, fahren wir nicht ins Industriegebiet oder auf die Promenade, sondern bleiben in seinem engen Vorstadtbezirk. Die Tanzlokale in solchen Bezirken werden vorwiegend von Leuten besucht, die entweder noch nicht volljährig oder schon älter als siebenundzwanzig sind. Nur nicht von Leuten wie mir. Mattis sagt: *»Du bist der Junggebliebene und ich der Frühaltgewordene!«*

Wir betreten einen holzverkleideten Kellerraum, die Besucher drängen sich um eine Gruppe von Live-Musikern. Die Musiker sind alle männlich, sie tragen schwarze Anzughemden und haben ihre Hände auf den breiten Klaviaturen ziemlich großer Keyboards abgelegt. Es scheint sich um eine Band zu handeln, die ausschließlich aus Keyboardern besteht. Im Publikum sehe ich Frauen, die mit ihren blonden Locken und den einfarbigen Strickpullovern wie junge Mütter aussehen. Ich bestelle für Mattis und mich neuen Gin. An der Bar wartend, kann ich gar nicht anders, als mich von der langsamen Keyboardmusik ernsthaft berühren zu lassen. Bei einigen Melodien muss ich an Coming-of-Age-Filme denken, die mich früher extrem gepackt haben und die mich, wenn ich ehrlich bin, eigentlich auch heute noch extrem packen. Phasenweise stellt sich aufgrund der Musik eine Gänsehaut auf meinen Unterarmen ein, zum Beispiel wenn im Publikum bereits bei den ersten Akkorden eines Liedes gejubelt wird. Ich denke: ›Diese Leute aus den Vorstadtbezirken kennen ihre Bands und lieben sie.‹

Als ich die beiden Ginmixgetränke entgegennehme, sehe ich, wie Mattis mit einer der blond gelockten Frauen spricht. Sie scheint ihn interessant zu finden. Wahrscheinlich weil er aussieht wie einer, der früher mal ein guter Surfer war. Er nimmt seinen Gin entgegen und stellt mir die Person umgehend vor: »Das ist Annabelle. Mit Annabelle bin ich zur Schule gegangen. Sie war das Mädchen, hinter dem alle her waren.« Annabelle scheint auch ziemlich betrunken zu sein, denn noch bevor sie mir die Hand gibt, sagt sie: »Aber ich bin bis siebenundzwanzig Jungfrau geblieben!« Ich bin zwar sicher, dass die Aussage ihr voller Ernst war, aber lächle so, als könnte ich sie als Witz verstanden haben. Als sie gleich zurücklächelt, bin ich doch nicht mehr sicher, ob die Aussage ihr voller Ernst war.

Mit dem bald leeren Glas in der Hand fällt mir ein, dass ich seit dem Frühstück noch gar nichts gegessen habe, nicht mal einen der Kekse aus Mattis' nussbrauner Schale. Die über dreißigjährige Annabelle scheint mir das anzusehen. Während die Band ihre zweite Zugabe spielt, fragt sie, ob wir kurz etwas essen gehen sollen: *»Es gibt einen Laden um die Ecke, der macht fantastische French Toasts.«*

Natürlich schaffen wir es dann gar nicht bis zu den fantastischen Toasts, sondern lehnen uns in einer schmalen Gasse an eine Backsteinfassade und fangen an, uns mit offenen Mündern zu küssen. Diese blond gelockte Annabelle scheut kein Risiko und packt mich an den Schultern. Ihr Atem ist sofort deutlich zu hören und sie wirkt nun tatsächlich wie jemand, der schon einmal sehr lange hat warten müssen. Ich rede mir ein, dass ich nur wegen des Versprechens auf ein French Toast den Musikclub verlassen habe und dass ich jetzt, mit dem Rücken an rotem Backstein lehnend, überwältigt wurde. Ich überlege, in welchen Zeitabständen nun wohl noch der doppelstöckige Bus zurück ins Stadtzentrum fährt. Annabelle scheint überhaupt nichts mehr zu überlegen. Weil ich die ganze Zeit meine Augen offen lasse, sehe ich die Falten um ihre geschlossenen Lider. Ich denke halb beleidigende Sachen, zum Beispiel: *›Du bist schon eine Frau und kein Mädchen mehr.‹* Einmal greife ich testweise an ihren Po und rechne mit dem Schlimmsten, doch dann bin ich relativ positiv überrascht. Annabelle setzt ihre Zunge sehr intensiv ein, ich kriege nasse Lippen, aber da ich ja betrunken bin, ekelt mich das eigentlich nicht. So dauert es einige Minuten, bis ich mich abrupt von ihr löse und sage, dass sie Mattis noch grüßen soll, denn ich müsste jetzt gehen. Annabelle will mir das erst nicht glauben. Sie legt ihren Kopf mädchenhaft schräg, was überhaupt nicht funktioniert, und dann fällt es mir leicht, tatsächlich zu gehen. *»Soll ich dir meine Nummer geben?«*, fragt sie noch, und dann halte ich sie endgültig für tragisch und würdelos und sage: *»Nein. Ich komme selten so weit raus aus CobyCounty.«* Zuletzt winke ich, fast freundlich, und gehe geradeaus, ohne mich noch einmal umzudrehen.

An der Bushaltestelle ist mein vorletzter Gedanke, dass diese dumpf leidenschaftliche Annabelle dort unten in dem suburbanen Musikclub heute vermutlich keinen Typen wie mich mehr finden wird, also definitiv keinen Typen aus dem Herzen CobyCountys. Kurz frage ich mich, ob ich ein schlechtes Gewissen bekäme, wenn ihr auf dem Rückweg in den Club etwas zustoßen würde. Ich versuche mir vorzustellen, was ihr passieren könnte. Nicht so schlimm fände ich es zum Beispiel, wenn sie jemand mit der flachen Hand schlagen und ihr etwas Geld entwenden würde. In gewisser Weise gönne ich das dieser Annabelle und ihrer stümperhaften Leidenschaft sogar: so einen flachen, relativ harmlosen Schlag ins Gesicht.

Aber mein letzter Gedanke ist, dass ich nicht leugnen kann, dass so eine tragische, ältere Frau aus dem Vorort eine gewisse Anziehung auf mich ausübt, zumindest wenn ich angetrunken bin. Ich überlege, ob manche Orte und Menschen einen vielleicht nur anziehen, weil sie total anders sind. Man weiß zwar, dass es kein gemeinsames Fundament mit diesen Orten und Menschen gibt, also auch keine Zukunft, trotzdem will man sie nicht verpassen, denn attraktiv sind sie ja irgendwie doch. ›Schlüpfrige One-Night-Stands‹ und ›kostspielige Wochenendausflüge‹ sind möglicherweise sinnvolle Kompromisse im Umgang mit diesen irrationalen Sehnsüchten. Dementsprechend könnten ›Affären während Wochenendausflügen‹ eine Art Optimum darstellen. Vielleicht wusste Wesley also doch ziemlich genau, was er tat, wenn er in den Sommermonaten verreiste und immer bald wiederkam.

Im leeren Bus wird mir schwindlig. Ich sitze in der letzten Reihe, fokussiere mein Handy und tippe eine Textnachricht: ›Hey Mattis, ich musste meinen Bus nehmen. Ich habe zu wenig gegessen. Der Abend hat Spaß gemacht. Wir mailen. Wim.‹

Im Laufe der Fahrt frage ich mich, ob es vielleicht an meinem Telefon liegt, dass ich keine SMS mehr erhalte. Mattis antwortet meist sofort. Aber dass Wesley nach meiner E-Mail auch meine Kurznachricht nicht beantwortet, ist eigentlich keine Überraschung. Typisch wäre jedoch, dass er unvermittelt anruft, von einem Flughafen oder aus einem Zug. Ich überlege, eine weitere Kurznachricht nachzuschieben: ›Erinnerst du dich, dass du an anderen Orten sehr schnell sehr alt wirst?‹ Wesleys Empfänglichkeit für Pathos ist relativ hoch. Trotzdem zögere ich. In den letzten Jahren habe ich nie den pathetischen Part übernommen, auch in keinem anderen Sozialkontakt. Sollte ich jetzt plötzlich damit anfangen, könnte Wesley das Gefühl bekommen, dass mich dieses neue CobyCounty mit den verunglückenden Hochbahnen stark transformiert. Und er könnte daraus ableiten, dass er richtig damit lag, seine Heimat zu verlassen. Also schiebe ich das Handy in meine Hosentasche zurück und blicke über die Sitzlehnen hinweg nach vorn.

Am nächsten Morgen, als ich zu meinem Erstaunen ohne jeden Kopfschmerz auf meiner ein Meter vierzig breiten Matratze aufwache, nehme ich mir vor, Carla zu ihrem fünfundzwanzigsten Geburtstag ein Keyboard zu schenken, trotz allem.

9

Bevor ich die School of Arts and Economics besuchte, glaubte ich, dass mich die schlimmste Lebensphase zwischen siebenunddreißig und achtundvierzig erwartet. In diesen Jahren muss man schon etwas erreicht haben, aber man hat auch noch sehr viel Stress vor sich. Man sieht nicht mehr gut genug aus, um richtig im Fokus zu stehen, und wenn man noch keine Kinder hat, ist es zwar dafür noch nicht zu spät, aber es herrscht bereits Entscheidungsdruck. Ich habe das Alter vierzig als erbarmungslos eingestuft und mir die Frage gestellt, ob man überhaupt schadlos in dieses Alter hineinwachsen kann. Doch an der School of Arts and Economics hatte ich dann mehrere Dozenten, die um die vierzig waren, und die erinnerten mich auf eine eher angenehme Weise an mich selbst. Nur hatten sie schon mehr gelesen und konnten besser darüber sprechen. Auch waren sie mit ihrer Selbstironie schon ein wenig weiter, also auch mit ihrer Eitelkeit, sie wussten beides routinierter für sich einzusetzen, und das hat mir die Angst vor diesem Alter ein wenig genommen. Heute glaube ich, dass ich mit einem guten Gefühl auf meine späten Dreißiger und frühen Vierziger zugehen kann. Im Grunde könnte man in CobyCounty ja auch bis fünfundvierzig oder sogar bis neunundvierzig noch so weiterleben wie mit neunzehn oder mit sechsundzwanzig.

Ich wurde insgeheim politisch erzogen. Beispielsweise nickte meine Mutter, als ich dreizehn war, im Industriegebiet in Richtung einer Tiefgarage und sagte: *»Schau da vorn: So wirst auch du bald herumsitzen.«* Dort saßen Mädchen und Jungs, nicht älter als siebzehn, in erdfarbenen Baumwolloberteilen und lehnten sich ans Garagentor. Es war schon Herbst und man hielt sich für gewöhnlich nicht mehr draußen auf den Bordsteinkanten auf, höchstens noch vor Cafés unter Wolldecken, die mit dem Logo des Cafés bedruckt waren. Doch diese Jugendlichen saßen weiter draußen auf der Straße, weil sie gerne darauf hinweisen wollten, dass sie auch noch draußen herumsitzen konnten, wenn das sonst schon keiner mehr tat. Niemand ist jemals gegen sie vorgegangen, sie durften bleiben, so lange sie wollten, und so saßen sie teils bis in die Starkregentage hinein unter den Vordächern einschlägiger Tiefgaragen. Und auch wenn ich dort selbst nie herumgesessen habe, weil ich diese Geste schon früh für zu durchschaubar hielt, kannte ich doch diejenigen, die dort saßen, zumindest vom Sehen. Und später, an der School of Arts and Economics, erkannte ich sie wieder, obwohl sie dann keine erdfarbenen Baumwolloberteile mehr trugen, sondern sich größtenteils recht eitel ausstaffierten. Wahrscheinlich besteht ein Zusammenhang zwischen der Absicht, Menschen darauf hinzuweisen, dass man auch bei kühleren Temperaturen noch draußen sitzen kann, und dem Impuls, Kunst herzustellen. Denn beides ist ja eine Form von Angeberei. Aber das wussten diese Leute natürlich selbst, und deshalb gab es daran auch nie etwas zu kritisieren. Und so sind viele von ihnen im Laufe der Zeit auch zu Freunden von mir geworden oder zumindest zu guten Hochschulbekanntschaften. Im Nachhinein habe ich es manchmal bereut, nie vor einer dieser Garagen gesessen zu haben.

Am Abend des dritten März treffe ich ehemalige Mitschüler im Hotelturm. Dieses Treffen am Tag vor Frühlingseinbruch findet nun schon das vierte Jahr in Folge statt. Tom O'Brian stellt für unser Treffen einen Konferenzraum im achten Stockwerk und ein Buffet mit Linsensuppe zur Verfügung. Linsensuppe: das ist so ein Running Gag zwischen den Mitschülern und mir. Als ich achtzehn wurde, fand ein Fest im Haus meiner Mutter statt. Meine Mutter war verreist und im Laufe der Nacht haben sich meine Gäste dazu entschlossen, die Dosen mit der Linsensuppe zu erhitzen. Wir aßen dazu geräucherte Würste, und das war damals, als sich fast jeder vegetarisch ernährte, eine Art Selbstversuch.

Da ich ja indirekt Gastgeber des Abends bin, muss ich als Erster im Konferenzraum bereitstehen. Der Linseneintopf ist noch abgedeckt, es läuft leise Musik, und hinter den Panoramascheiben ist es bereits Nacht geworden. Der Ausblick ist schön, wenn auch nicht überragend. Am Himmel sind dunkle Wolken zu erkennen, zwischen denen nur noch selten ein paar Sterne aufblitzen. Es könnte sein, dass es bald regnet, aber das wäre eigentlich sehr ungewöhnlich zu dieser Jahreszeit, denn eigentlich sind die ersten Frühlingsnächte immer kristallklar, wenn auch nur selten wirklich warm. An diesem dritten März ist es jedoch bedeckt und auf den Straßen steht eine schwere, feuchte Luft, in der man ständig glaubt, unangemessen gekleidet zu sein. Ich gieße mir selbst etwas Wein ins Glas und drehe die Musik lauter. Eine Männerstimme singt, dazu spielen Instrumente, es ist ein fast klassischer Song, aber ich achte nicht auf den Text. Ich stehe vor der Panoramascheibe und schwenke das Weinglas.

Die ersten vier Gäste kommen als Gruppe. Es sind drei Mädchen und ein Junge, sie arbeiten alle in Galerien und haben so zumindest auf Branchenfesten regelmäßig miteinander zu tun. Ich ahne, dass sie zuerst nach Wesley und dann nach Carla fragen wollen. Dass sie es nicht tun, finde ich ein wenig feige, trotzdem bin ich erleichtert darüber. Statt über Carla und Wesley reden wir über die Alkoholsorten, die uns Tom O'Brian großzügig bereitgestellt hat. Eines der Mädchen kennt sich gut mit Whisky aus und ich bin ein wenig froh, dass ich mich damit überhaupt nicht auskenne. Nachdem sie uns zudem Hintergrundinfos zu verschiedenen Weinbränden gegeben hat, wechselt sie lächelnd das Thema. Sie erwähnt, dass am übernächsten Samstag ja wieder unsere Regierungswahlen stattfinden. Wir anderen durchschauen ihr Ablenkungsmanöver natürlich gleich und gehen gar nicht auf die Wahlthematik ein. Mir fällt auf, dass weder Wesley noch Carla jemals an diesen Klassentreffen teilgenommen haben, da sie ja beide gar nicht in der Klasse gewesen sind. Ich bin auch nicht sicher, ob die drei Galeristinnen überhaupt jemals von Carla gehört haben. Aber ich kann mich noch gut daran erinnern, wie eine von ihnen letztes Jahr im Laufe des Abends immer anhänglicher wurde. Ich beobachte sie jetzt und versuche sie mir als tatsächliche Option vorzustellen, als eine Art Befreiungsschlag. Ich komme mir mit diesen Überlegungen jedoch sehr bald schmierig vor und breche sie ab, vermutlich auch, weil ich zeitgleich das Weinglas schwenke.

»Geht ihr morgen an den Airport?«

»Ich glaub, das wäre mir dieses Jahr zu anstrengend«, sagt Andreas, der bisher einzige männliche Gast, den alle immer bei seinem Nachnamen Lunex gerufen haben.

Die Mädchen stimmen ihm nickend zu: »*Wir trinken doch heute schon …*«

»*Stimmt. Man kann ja nicht mehrere Tage nacheinander trinken …*«, sage ich und grinse in den Raum. Als die anderen zurückgrinsen, finde ich, dass der Abend eigentlich gut beginnt.

Nach zwei Stunden sind alle fünfzehn Gäste eingetroffen. Damit fehlen nur sieben aus der damaligen Klasse, und Roy fehlt auch nicht aus bösem Willen, sondern weil er bei einem Wakeboardunfall ums Leben gekommen ist. Er war die einzige Person in unserer Stufe, die sich ernsthaft für Wassersportarten und Motorboote interessiert hat. Wir anderen hielten ihn deshalb für etwas banal. Dass er dieses leicht uninspirierte Hobby mal mit seinem Leben bezahlen müsste, hat natürlich keiner von uns gehofft, und als die Meldung die Runde machte, hatten viele ein schlechtes Gewissen, weil sie Roy nie so richtig respektiert hatten. Wir haben aber schon in den letzten beiden Jahren nicht mehr von Roy gesprochen und sollten das auch heute nicht tun. Ich denke: ›*Wenn Roy hier wäre, könnte wenigstens einer von uns aus einer fremden Welt erzählen: aus der Welt der Wakeboard-Competitions.*‹ Weil ich während dieses Gedankens schon recht angetrunken bin, muss ich kurz bitter prusten, und als mich jemand fragt, was los sei, sage ich: »*Nichts, nichts.*«

Wir sitzen an dem großen runden Tisch in der Mitte des Raumes, vor uns Linsensuppen und im Hintergrund Musik. Die meisten sind schon betrunkener als ich, also reden wir vergleichsweise wenig über unsere Studiengänge und Jobs, sondern mehr über unsere Beziehungen. Elf von fünfzehn Gästen leben tatsächlich in einer Paarbeziehung, drei in mehreren Paarbeziehungen parallel, aber das kommt eigentlich auf das Gleiche raus. Ich erwähne früh, dass Carla und ich nun vorerst getrennt sind, treffe aber keine Aussage über die Art der Trennung. So wie ich es erwähne, könnte man durchaus annehmen, dass Carla nur für einige Zeit ins Ausland gegangen ist. Aber auch die Wahrheit könnte ich so erzählen, dass ich sie gut ertrage, denke ich, und schneide eine dunkle, geräucherte Wurst in die Linsensuppe.

Irgendwann gibt es Streit über die Musik. Magnusson will einen eigenen Mix auflegen, was einige freut, weil er das schon zu Schulzeiten gemacht hat, und was andere ärgert, weil sie Magnusson keinen guten Geschmack zutrauen. Ich stehe ihm fast neutral gegenüber. Manchmal habe ich seine Musik gerne gehört, andererseits hat er sich im Alter von siebenundzwanzig Jahren offenbar als Produzent und Diskjockey noch immer nicht etablieren können. Ich verhalte mich dann wie ein echter Gastgeber, gehe zur Anlage und sage: *»Wir hören jetzt das Set von Magnusson. Zumindest die ersten paar Lieder.«* Keiner beklagt sich und dann startet der Beat. Es wird schnell klar, dass Magnusson wenig Talent hat, doch in diesem Kontext funktioniert seine Musik merkwürdig gut. Drei Mädchen beginnen zu tanzen und das ist ein Novum. Getanzt wurde auf unseren Klassentreffen noch nie, auch nicht, als alle schon sehr viel betrunkener waren als jetzt. Schamgefühl und Eitelkeit gehen offenbar verloren, wenn man schon älter als fünfundzwanzig ist. Wer jetzt tanzen will, der tanzt wohl einfach, ganz wie er sich fühlt, auf eine ihm eigene, großteils unbewusste Art. Ich finde das relativ schrecklich, aber irgendwann tanze ich dann auch, denn irgendwann tanzen ja alle. Weil irgendwann wohl alle zeigen wollen, dass sie sich für überhaupt nichts mehr schämen. Während wir tanzen, beginnt es draußen heftig zu regnen. In manchen Momenten kommt mir der Schauer so druckvoll und gewaltig vor, dass ich fürchte, er könnte die Panoramascheibe sprengen.

Als indirekter Gastgeber muss ich natürlich auch bis zum Ende bleiben und natürlich wissen das alle. Ich war den ganzen Abend über gespannt, welches der Mädchen also am längsten aushalten würde, oder ob vielleicht ein Junge am längsten aushält. Aber das mit den Jungs hat sich recht früh erübrigt, weil die beiden, die Interesse haben könnten, nämlich Dave und Marcel, zusammen nach Hause gegangen sind, gegen vier. Die letzten Mitschüler haben sich gegen halb sechs verabschiedet, nur Martina ist geblieben. Ihre Zwillingsschwester Iris hat behauptet, sehr müde zu sein, und ist dann allein nach Hause gegangen.

Wir verhalten uns Tom O'Brians Mitarbeitern gegenüber ausgesprochen fair, räumen die Flaschen und Gläser, die überall im Raum herumstehen, ordentlich auf den runden Tisch und hören dabei wieder die Musik, die ich auch am Anfang gehört habe, den Männergesang mit den Instrumenten. Martina hat mir im Laufe des Abends wiederholt von ihrer letzten Affäre erzählt, insbesondere davon, wie unkompliziert und doch leidenschaftlich diese gewesen sei. Einmal meinte sie sogar, gelungene Affären seien lediglich eine Frage der Einstellung. Ich wechselte mehrmals das Thema oder den Gesprächspartner, trotzdem ist sie jetzt immer noch hier. Damals in der Abschlussklasse habe ich Martina für eher spröde und asexuell gehalten und deshalb für irgendwie attraktiv. Dass sie nun so eine Dringlichkeit ausstrahlt, enttäuscht mich. Trotzdem könnte ich mir alles Mögliche mit Martina vorstellen, fällt mir auf, als sie gerade einen letzten großen Schluck Weißwein aus irgendeinem Glas nimmt und es dann auf den Tisch stellt. Ich schalte die Anlage aus und frage: *»Kommst du mit oder willst du noch bleiben?«*

Wir gehen auf den Lift zu, relativ eng nebeneinander, und hören, dass es draußen noch immer stark regnet. Wir fahren die acht Stockwerke ins Erdgeschoss hinunter, die Fahrt dauert überhaupt nicht lang, der Lift ist brandneu. Wir haben gerade mal Zeit, uns ein einziges Mal vieldeutig in die Augen zu blicken. Unten behaupte ich dann, dass ich in einem der Gästezimmer im Erdgeschoss übernachte, obwohl ich das eigentlich gar nicht vorhabe. Und dann umarmt mich Martina und sagt, viel leiser als nötig, dass ich mich im Laufe des Frühlings ja mal melden könne. Sie hält mich lange im Arm und eventuell wartet sie darauf, dass ich anfange sie zu küssen, aber ich will Martina ja nicht dafür belohnen, dass sie mit Mitte zwanzig ihre spröde, sexy Art aufgegeben hat. Als sie durch die Lobby davongeht und sich tatsächlich noch einmal umdreht, um zögerlich zu lächeln, da weiß ich, dass ich sie jetzt für mindestens ein Jahr nicht sehen möchte.

10

Ich habe Eistee in eine Karaffe gefüllt und einige Blätter Minze hinzugegeben. So hat das auch meine Mutter oft gemacht. Vor meinem inneren Auge kann ich mich in jedem bisherigen Alter mit einem Eisteeglas in der Hand sehen. Auf jedem dieser Bilder trage ich andere Kleidung, habe eine andere Statur, bin kleiner, größer, breiter, schmaler, nur das goldrote Eisteeglas bleibt stets identisch. Statt ins Bett zu gehen, habe ich mich an meinen gut aufgeräumten Schreibtisch gesetzt und blicke nach draußen. Es regnet zwar nicht mehr, aber es ist noch sehr bewölkt und wird gar nicht richtig hell. Ich werde von Minute zu Minute nüchterner.

Gerade erst zweieinhalb Wochen ist es her, dass ich neben Carla, im einfallenden Sonnenlicht sitzend, behauptet habe, dass wir in einem utopischen Sexraum wohnen. Der ›utopische Sexraum‹ war natürlich vor allem als Gag gemeint, das weiß ich auch heute noch, selbst wenn die Erinnerung bereits verklärt ist und mir meine Aussage im Nachhinein fast wahrhaftig vorkommt. Unter den Jungautoren, die wir vertreten, gibt es einen Trend zur Erinnerungsprosa, zu sinnlicher Nostalgie. Besonders in Mode ist es, sich mit simplen Texten in seine Kindheit hineinzuforschen. Kevin Lulay macht so etwas, wenn er sich nicht gerade als Maren August kommerzielle Erzählungen ausdenkt. Er versucht dann in kurzen Sätzen nachzuahmen, wie er als kleiner Junge die Welt sah, wie sie sich ihm in den Zeichentrick- und Realfilmserien präsentierte, und wie er zur selben Zeit am Strand den Sand ertastete oder sich auf dem Rücken seines Vaters über die ColemenHills tragen ließ. Einige Leser behaupten, diese kurzen Erzähleinheiten verfügten über eine besondere Magie. Ich halte sie für relativ unsinnig und für künstlich, aber ich betreue sie gern, denn sie sind sprachlich einwandfrei gearbeitet und es finden sich sogar Verlage, die einen soliden Vorschuss dafür bezahlen. Zurzeit frage ich mich, ob das Schreiben dieser Texte für Kevin auch einen persönlichen Effekt hat, ob er sich damit besser fühlt, weil er so weit vorne anfängt, seine Vergangenheit zu stilisieren. Ich überlege, ob es nicht vielleicht gut für mich wäre, meine zwei Jahre mit Carla so ähnlich zu durchforschen wie Kevin seine Kindheit. Ich klappe meinen Laptop auf und beginne mit losen Notizen:

Ihre neue Liebe heißt Dustin. Ihre Liebe vor mir haben wir in den ersten Monaten, in all diesen E-Mails, nie erwähnt. Die hieß aber, falls sie mir später den wahren Namen genannt hat, Kristin. Carla hatte, bevor sie zweiundzwanzig war, eher etwas mit jüngeren Mädchen als mit gleichaltrigen Jungs, aus einem blanken Narzissmus heraus, wie sie später sagte, nicht aus einem ehrlichen Bauchgefühl. Den Begriff ›ehrliches Bauchgefühl‹ benutzten wir damals oft in unseren E-Mails, aber nur in der allerersten Zeit, in den ersten vier Monaten etwa, danach sind wir aus diesem Begriff herausgewachsen. Manchmal aber, wenn wir gerade ruppig miteinander geschlafen hatten, wärmten wir den Begriff noch einmal auf, aber dann war das eher ein Lustigmachen darüber. Insgesamt haben wir uns oft über unsere Gefühle füreinander lustig gemacht und das war vielleicht etwas Besonderes an unserer Beziehung. Aber eigentlich auch nicht, denn im

Grunde habe ich in meinem Leben noch nie ein Paar kennen-
gelernt, das sich nicht gelegentlich über seine Gefühle lustig ge-
macht hätte. Paare, die ihren Liebeszustand nicht als vorbelastet
oder klischiert wahrnehmen: die gibt es gar nicht, denke ich, die
wären ja auch kaum zu ertragen. Insofern waren Carla und ich,
neutral betrachtet, vielleicht nie etwas Besonderes. Für mich war
es das aber doch, weil ich vorher nie so lange mit einem Men-
schen, mit dem ich auch ins Bett ging, einen so engen Kontakt
gepflegt hatte. Auch wenn wir uns mal einige Tage nicht sahen
und keine E-Mails oder Shortmessages austauschten, wusste
ich, dass es diese Carla gab, und das hat den Alltag durchaus
stabilisiert, wie grauenvoll labil das auch klingen mag.

An dieser Stelle höre ich auf zu tippen und atme einmal seuf-
zend aus. Ich schaue durchs Fenster. Die Scheibe spiegelt
halb mein Gesicht, halb zeigt sie das Meer, und ich habe das
Gefühl, gerade über einen vieldeutig emotionalen Blick zu
verfügen. Angeblich verfüge ich regelmäßig über solche Blicke, die Leute dazu anregen, über mich nachzudenken, über
Blicke also, die scheinbar auf etwas verweisen. Manchmal bin
ich von dem Ausdruck rund um meine Augen selbst erstaunt,
wenn ich mich auf Fotos sehe, und dann denke ich, dass dieser
Ausdruck in meinem bisherigen Leben von entscheidender
Bedeutung gewesen sein könnte.

Bei dem Versuch, mir Dustin vorzustellen, setze ich völlig falsch
an. Ich stelle mir nämlich jemanden vor, der mir überhaupt
nicht ähnlich sieht. Einen braun gebrannten, muskulösen,
schon etwas älteren Mann, der beim Reden heftig gestikuliert.
Das macht es mir leichter, denn so einen Dustin könnte ich
überhaupt nicht leiden. Dabei sieht er mir vermutlich ähnlich

und vermutlich hat er auch eine ähnliche Mentalität wie ich. Ich kenne Carla gut genug und weiß, dass sie bei Männern immer auf einen bestimmten Typ steht. Sie wird von diesem Prinzip nicht abweichen, dafür ist sie viel zu gefestigt. Das ist leider so.

Für alle weiteren Notizen nehme ich mir vor, mich stärker an konkrete Situationen zu erinnern. Die Art, wie ich in die Welt blicke, wurde ja wahrscheinlich primär von konkreten Situationen geprägt und die Texte meiner jungen Autoren hangeln sich meist auch von einer Szene zu einer anderen Szene, als wäre das im Leben so, dass man nur Dialoge und Action erlebt, aber in gewisser Weise kann man das ja auch so sehen.

Das erste Treffen zwischen Carla und mir fand in einem Eiscafé statt. Wir hielten das beide für etwas lachhaft, deshalb fühlten wir uns wohl. Wir bestellten jeweils einen Becher mit zwei Kugeln unter Sahne und Schokoladensplittern. Extrem simple Eissorten: Vanille und Himbeere. Dazu Wasser mit Kohlensäure. Daran erinnere ich mich noch. Wir sprachen darüber, dass wir beide Phasen hinter uns hatten, in denen wir Eissorten wie ›After Eight‹ oder ›Maracuja Sunrise‹ bestellten, dass wir jetzt aber zu den Basics zurückgekehrt seien. Wir sprachen ernst darüber, das war uns wichtig. Harmlose Konsumentscheidungen dominierten schließlich große Teile des Alltags und noch größere Teile des Nicht-Alltags, also der Ferien, dessen waren wir uns beide bewusst, also führten wir solche Gespräche seriös. Auf diese Weise zeigten wir Verständnis füreinander, und später setzten wir uns an den Strand und fingen an uns zu küssen. Wir küssten uns wirklich gut, vom ersten Tag an.

Im Rückblick erscheint mir unser erstes Date in dem Eiscafé ungebrochen zauberhaft. In den Tagen direkt danach habe ich das noch nicht so gesehen. Da erzählte ich Wesley, dass ich nicht wisse, ob daraus etwas werden könne, zumindest aber hatte ich Lust, Sex mit Carla zu haben, auch das sagte ich Wesley, und Wesley sagte: »Das ist doch schon mal was.« Er meinte das nicht wirklich ernst, denn das war ja eigentlich noch nichts. Sex konnte man sich schließlich mit vielen Leuten vorstellen. Aber Wesley sah von außen schon viel besser als ich von innen, dass mir an Carla etwas lag. Mir war das selbst noch nicht klar, obwohl ja alles darauf hindeutete. Ich bin nicht sicher, ob ich das heute früher und eindeutiger erkennen würde, ob diese Sache etwas mit dem Erfahrungshorizont zu tun hat, also mit dem Älterwerden, oder damit, dass man Situationen, in die man gerade gerät, noch nicht gleich einordnen kann. Ich tendiere dazu, dass es etwas mit dem Erfahrungshorizont zu tun hat.

Auch viele Treffen später, als wir schon routiniert miteinander schliefen und glaubten, unsere unbewussten Gesten gegenseitig bereits lesen zu können, definierten wir noch nicht, was wir waren. Ein Paar oder eine Affäre oder Freundschaft mit Sex. Wir sprachen nur abstrakt über Paarbeziehungen an sich. Und über Affären und über entfernte Bekannte, die Freundschaft mit Sex hatten. Wir redeten über die Paare in den Vorabendserien unserer Kindheit und glaubten, dass ein kluges Paar heute bewusst anders sein müsste und so weiter. Letztlich haben wir nie definiert, welche Art von Zusammenleben wir führten, es blieb unausgesprochen und das war die einzige Möglichkeit, uns gegenseitig zumindest ein kleines Freiheitsgefühl zu erhalten. Richtig deutlich, dass wir uns in diesen zwei Jahren als Paar definiert hatten, wurde es vielleicht erst durch die SMS, die mich in Tom O'Brians Off-Road-Van erreicht hat.

Ich speichere mein Dokument als *Carla.doc* und stehe gegen zweiundzwanzig Uhr am Airport von CobyCounty. Die Musik ist nicht laut genug, sie wird ständig vom Fluglärm übertönt, doch das Landegeräusch der Discountflugzeuge bekommt selbst den Charakter eines umjubelten Songs. Viele sind hier mit Freunden verabredet, die aber jetzt noch in diesen Flugzeugen sitzen. Man fällt sich in die Arme, man beginnt die gemeinsamen Ferien. Das Alleinstellungsmerkmal dieser Party am Airport sind die Gepäckstücke. Zwischen den Tanzenden stehen Taschen, Koffer und Rucksäcke, die alles etwas improvisiert aussehen lassen. Es werden viele Getränke mit Taurin und Koffein angeboten, denn eigentlich sind die Anwesenden ja müde vom Flug und gar nicht so richtig in Stimmung. Aus meiner kaffeelosen Teenagerzeit bin ich noch daran gewöhnt, diese Drinks zu meiden. Ich erinnere mich daran, wie Wesley auf dem Rückweg letztes Jahr von seinem ›flatternden Herz‹ erzählt hat und dabei sogar leicht nervös schwitzte. Einige der Besucher kommen mir empfindlich jung vor, sodass ich mich frage, ob das nicht eher die kleinen Geschwister der eigentlichen Freiberufler aus den Metropolen sind. Vielleicht wird das Freiberufler- und Frühjahrspublikum aber auch tendenziell immer jünger, weil die Leute schneller mit ihren verkürzten Studiengängen fertig werden. Dies könnte langfristig das Niveau der Frühlingswochen in CobyCounty beeinträchtigen, überlege ich, aber relativiere es gleich wieder, denn diese Opening Party am Flughafengelände war nie ein echter Höhepunkt, wenn auch immer ein Anlass mit Tradition.

Zwischen den Tanzenden küssen sich ein Junge und ein Mädchen. Sie scheinen sich gerade kennenzulernen, wirken beide betrunken und haben die meiste Zeit die Augen geschlossen. Sie wissen, dass sie ein Bild abgeben. Bei einigen seiner Bewegungen, wenn die Hand zum Beispiel schon ihren Po streift, weicht sie zurück. Dann schauen sie sich kurz an. Er simuliert einen weichen Blick, den er sich im betrunkenen Zustand vielleicht sogar selbst glaubt, und sie genießt seinen leicht gelogenen Ausdruck, muss aber stets ihre Grenzen markieren. So wahren beide ihr Gesicht und können am nächsten Tag von einem Erfolg erzählen, von einem sinnlichen Erlebnis, aus dem sie jeweils als Gewinner hervorgegangen sind. Er hat sie gekriegt und sie hat klargemacht, dass sie nicht so leicht zu kriegen war. Ich schaue dem Paar dumpf von der Seite zu. Indirekt beneide ich sie natürlich, aber vielleicht nur weil ich übernächtigt bin. *»Diese beiden rund zwanzigjährigen, gut gebauten Touristen dort vorne, das sind eigentlich ganz armselige Gestalten, die es in ihrer eleganten Frühjahrskleidung nötig haben, Leidenschaft füreinander vorzutäuschen«*, will ich denken, doch es gelingt mir nicht. Denn auch wenn ihre Gesten und Aktionen von außen durchschaubar sind, so lassen sie sich von innen ja doch mit Bedeutung aufladen, zumindest für den Moment. Das muss ich wohl einsehen. Dann plötzlich wird meine Schulter von einer warmen Hand berührt, ich drehe mich um, ich erkenne den Typen sofort: Vor mir steht Frank, die ehemalige Affäre von Wesley.

»Wim!?«

»Ja ... Frank?«

»Genau! Wie geht es dir?«

»Sehr gut. Bin vielleicht ein wenig müde heute. Sonst aber alles super ...«

»Hast du was Neues von Wesley gehört?«

»Was meinst du?«

»*Na ja. Er meinte, dass ich dir was sagen soll, wenn ich dir mal begegne ...*«

Franks Pupillen sind geweitet und er spricht, als käme ihm sein eigenes Sprechen ungewöhnlich präzise vor. Zu allem Überfluss zuckt sein linkes Augenlid. Ich frage: »*Was sollst du mir denn sagen?*«

»*Dir bleibt noch Zeit bis zu Carlas Geburtstag. So schätzt er das ein. Das soll ich dir ausrichten. Aber danach ist es zu spät.*«

»*Für was?*«

Frank räuspert sich und glaubt, durch sein Räuspern weiter an Präsenz und Autorität zu gewinnen: »*Wesley meinte, das wüsstest du schon selbst.*«

Frank geht eine Runde über das Partygelände, während ich stehen bleibe. Als er nach einigen Minuten wieder vor mir auftaucht und auf irgendetwas zu warten scheint, behaupte ich, dass ich zu müde bin, um hier noch länger herumzutanzen.

»*Aber du tanzt doch gar nicht*«, sagt Frank.

»*Bevor du aufgetaucht bist, habe ich noch sehr viel getanzt. Aber jetzt will ich lieber darüber nachdenken, was Wesley gemeint haben könnte ...*«

Frank hebt die Schultern. Er scheint nun ein leicht schlechtes Gewissen zu haben: »*Wollen wir unsere Telefonnummern austauschen? Dann können wir uns anrufen, wenn einer von uns was Neues hört.*«

Ich behaupte, mein Handy nicht bei mir zu tragen, was reichlich absurd wäre, was mir Frank aber sofort zu glauben scheint. Ich nenne ihm eine falsche Nummer, auf der er dann sinnlos anklingeln lässt, und dann umarmen wir uns tatsächlich, auf eine enorm verlogene Art, und ich gehe in Richtung Shuttlebus davon. Hinter mir höre ich die Leute jubeln, das nächste Flugzeug landet, es werden ständig neue Gepäckstücke auf die Tanzfläche gestellt, und ich wünschte, Frank wäre niemals nach CobyCounty gezogen.

Dass es draußen schon wieder hell ist, wird von den Passagieren des Shuttlebusses stoisch zur Kenntnis genommen. Niemand macht ein Thema daraus. Niemand denkt darüber nach, dass es etwas Besonderes sein könnte, eine ganze Nacht lang gar nicht zu schlafen und dann auf weichen Drogen in den Morgen zu blicken. Alle Plätze scheinen von Touristen besetzt, viele kommen mir bekannt vor, doch ich kenne keinen der Namen, also niemanden persönlich. Die meisten haben ihr Urlaubshandgepäck über sich in die Ablagen geschoben und starren zum Fenster hinaus. Manche leiden vielleicht unter der Zeitverschiebung, vielleicht auch unter der verbrauchten Luft im Busshuttle oder nachträglich unter dem inadäquaten Essen im Discountflugzeug. Doch keiner wird sich jemals an dieses latente Leid erinnern, wenn er nach seiner Rückkehr an CobyCounty denkt, sondern viel eher an die Begegnungen, den Rausch, die Sonne. Da bin ich fast sicher.

An der Haltestelle ›Promenade‹ verlassen die meisten den Bus. Die blaue Stunde ist gerade vorbei und das Licht schon so hell, dass man sofort an den Strand gehen könnte. Fast alle Pfützen sind weggedunstet. Zahllose Sonnenbrillen werden aufgesetzt, Sporttaschen über die Schultern gewuchtet und Rollkoffer gezogen. Ich gehe einen umständlichen Weg nach Hause, fast glaube ich, dass ich noch nie zuvor einen so umständlichen Weg gegangen bin. Es ist eine Art Spaziergang in den Vormittag hinein, und eine ganz neue, leicht verwirrte Variante, den Frühling zu begrüßen.

»*Als wir uns damals aufmachten, um in den Frühling nach CobyCounty zu ziehen, schien dies aus einer leicht angetrunkenen Laune zu geschehen. Diese Laune trägt uns jetzt seit vierundvierzig Jahren durch ein fantastisches Leben.*«

* Mutter Endersson, 65,
Expertin für Marketing und Emphase

11

Ich strecke mein Eisteeglas in die Luft und halte es vor die Sonne, sodass der Eistee golden leuchtet. Lichteindrücke wie diese sollen im Körper ja zur Produktion bestimmter Vitamine führen, und diese Vitamine sollen später für ein Wohlbefinden sorgen. Also sitze ich für eine Weile nur so da und starre in den goldenen Eistee, bis mir auffällt, dass ich in der Hoffnung auf mehr Wohlbefinden gerade biologistische Überlegungen anstelle. Ich habe keine Ahnung, woher ich diese Überlegungen überhaupt nehme, vermutlich aus dem Internet, denn aus der Highschool oder aus dem College habe ich sie ganz sicher nicht. Auch von meinen Eltern weiß ich, wie unproduktiv und erniedrigend solche Gedanken über biologische Zusammenhänge sind, und dass die nirgendwo hinführen. Ich senke das Glas und blicke zur See. Es ist schon der dritte Frühlingsmorgen und ich bin immer noch nicht vor der Tür gewesen. Dabei scheint jetzt ganztägig die Sonne, und ich kann von meinem Balkon aus beobachten, wie touristische Gruppen in Richtung Promenade schlendern. Jederzeit könnte ich mich ihnen anschließen, selbst alleine, als Einheimischer kommt man leicht ins Gespräch, oft wird man sogar angeflirtet. Der Strand ist heute sicher gut besucht, vielleicht schon überfüllt, aber das Herumliegen dort würde mich mutmaßlich nur an andere Frühlingsjahre erinnern, zum Beispiel an letztes, als ich mit Carla versucht habe, den perfekten Menschen aus

Sand zu bauen. Ein paar Besucher aus Nordeuropa, die mit Bodyboards im seichten Wasser spielten, dienten uns als Modelle. Trotz einiger Mühe haben wir es mit den Sandfiguren nie besonders weit gebracht, sie sind immer wieder schnell in sich zusammengefallen, weil der Sand entweder zu trocken war oder wir einfach zu ungeschickt. Wir haben viel gelacht an diesem Nachmittag, auch weil wir die perfekte Sandfigur mit einiger Bedeutung aufluden, wenn auch nur zum Spaß. Aber diese Verklärungen führen mich jetzt auch nirgendwohin, also stelle ich mir stattdessen meinen Laptop auf den Schoß und lese eine E-Mail, die mir nicht gefällt:

»Kurz hat es mich traurig gestimmt, dass ich von Tom erfahren musste, dass du und Carla auseinandergegangen seid. Aber dann habe ich es verstanden. Denk nicht in schwerwiegenden Kategorien. Du bist jung und mit der Zeit können sich alle Emotionen drehen. Genieße den Frühling. Es umarmt dich: deine Mum.«

Ich sehe aktuell keinen Anlass, eine Antwort zu formulieren. Weder taucht ein Fragezeichen in dem Text auf, noch wüsste ich etwas Interessantes mitzuteilen. Höchstens könnte ich schreiben, dass meine Mutter nicht auf dem neuesten Stand ist, dass sie überhaupt keine Ahnung davon hat, wie schnell sich das Leben eines Sechsundzwanzigjährigen heute wandelt. Aber das würde sie wahrscheinlich kränken und das habe ich gar nicht nötig, denn ich liebe ja meine Mutter und ich wünsche ihr nur das Beste.

Ich entscheide, in die Agentur zu fahren, um etwas zu arbeiten. Obwohl mir natürlich bewusst ist, dass zur Frühlingszeit in sämtlichen Branchen, von der Gastronomiebranche einmal abgesehen, höchstens noch halbtags gearbeitet wird, und dass natürlich auch in der Agentur wenig los ist. Die Autoren schicken keine Texte und die wesentlichen Ansprechpartner aus den Verlagen haben frei. Trotzdem bereite ich mich jetzt leicht hektisch auf einen vollen Arbeitsnachmittag vor, knöpfe mein hochwertiges Hemd bis oben zu und denke zur Motivation unsinniges Zeug. Folgenden Satz denke ich tatsächlich: ›*Es ist sicher einiges liegen geblieben, und etwas zu tun gibt es immer.*‹

Zu meinem Erstaunen ist die Tür der Agentur nicht abgeschlossen. Ich gehe an der Küche vorbei, es riecht leicht nach Kaffee, das Flurparkett ist aufpoliert. Calvin Van Persy hört Musik über Kopfhörer. Ich klopfe an seine offen stehende Tür, er dreht sich erschrocken auf seinem Bürostuhl um: »*Wim! Gut, dass du da bist. Ich muss mit dir reden ...*« Er spricht zuerst sehr laut, weil er die Kopfhörer noch trägt, dann setzt er sie ab und steht auf. Auf mich zukommend sagt er: »*Du siehst schon wieder nicht so gut aus.*« Ich erwidere, dass es Frühling ist, und Calvin sagt, dass dies noch kein Grund sei, so auszusehen. Dann lächelt er einnehmend:

»*Hast du meine E-Mail von eben schon gelesen?*«

»*Nein ... Ich musste die letzten Tage ein paar Sachen aufarbeiten.*«

Calvin fixiert mich und ich spüre, dass er mich mittlerweile schon ziemlich gut kennt: »*Ich hoffe, du hast den Frühling nicht auf einer dieser Untergrundpartys begonnen? Die gibt es jetzt doch ständig.*«

»*Ich war noch nie auf so einer Party*«, sage ich offen.

Calvin nickt: »*Ich habe dir eine Mail von Mattis Klark weitergeleitet. Der Brief hat mich etwas beunruhigt.*«

»Was hat er denn geschrieben?«

»Komm erst mal mit. Wir machen Kaffee. Ohne Eis!«

In der Mitte des Eichenholztisches steht eine neue Dose voller Rohrzucker. Calvins Umgang mit der Kaffeemaschine ist bemerkenswert, seine Handgriffe kommen mir wahnsinnig schnell vor. Vielleicht ist ihr Tempo aber auch ganz normal, überlege ich, dann wäre nur meine Zeitwahrnehmung aus den Fugen geraten.

Umgehend dampft ein doppelter Espresso aus einem eleganten Kaffeeservice vor mir, und Calvin fragt: *»Zucker?«* So als wäre ich selbst gar nicht in der Lage, an Zucker zu denken. Ich glaube jetzt, dass es doch besser gewesen wäre, mit meinem Eistee auf dem Balkon zu bleiben.

»Mattis hat nicht viel geschrieben, sich aber dezidiert kritisch geäußert.«

»Über was?«

»Über dich. Er meinte, du hättest sein Vertrauen enttäuscht. Du hättest eine enge Freundin von ihm schwer verletzt.«

Ich sitze da und schweige und trinke meinen Espresso schwarz. Dann sage ich: *»Das stimmt vielleicht. Aber diese Freundin hat mich überrannt und sie ist wirklich problematisch. Ich konnte auch nicht ahnen, dass er so viel von ihr hält.«*

»Jedenfalls wünscht er sich deshalb, ab jetzt von mir betreut zu werden. Wie stehst du dazu?«

»Ich glaube, ich müsste da noch mal mit ihm sprechen.«

Zum ersten Mal fällt mir auf, dass Calvin Van Persy sehr grüne Augen hat. Sie sehen fast künstlich aus, so grün sind sie. Kurz frage ich mich, welche Augenfarbe Carla hat und welche Wesley. Ich scheine insgesamt sehr wenig auf Augenfarben zu achten, denke ich dann, und Calvin spricht weiter: *»Ich habe zu Mattis gesagt, dass ich die Auktion für seinen Erzählband gerne übernehme, sobald die Urlaubszeit vorbei ist. Und dass ich mit dir spreche.«*

»Okay. Und das tust du ja gerade.«

»Genau, Wim. Das tue ich gerade ... Noch etwas mehr Kaffee?«

Ich schüttle den Kopf.

»Hast du in den letzten Nächten irgendwelche Mittel zu dir genommen, die nicht so richtig gut waren?«

»Nur Eistee.«

»Wim. Ich verordne dir Urlaub.«

Ich kann Calvins Satz, so wie er mit einem Mal im Raum zwischen uns steht, nicht einordnen. Es scheint mir, als läge da ein vieldeutiges Lächeln um seine Mundwinkel, als meine er auf jeden Fall etwas anderes als das, was er gerade gesagt hat: *»Du entlässt mich?«* Nun lächle wiederum ich, fast herausfordernd, und dabei schlägt mein Puls nun härter als zuvor, was sicherlich auch am Kaffee liegt.

»Ich würde dich nie entlassen, Wim. Du bist ein talentierter Agent. Du hast einen guten Blick für das Anrührende und verstehst es, in schlichten Dingen die Avantgarde zu erkennen. Außerdem hast du immer schnell dazugelernt.« Hier macht Calvin Van Persy eine Sprechpause, um einen Schluck starken Espresso zu trinken. *»Aber in den letzten zwei Wochen erkenne ich dich kaum wieder. Als wäre da etwas abhandengekommen. Und ich merke dir an, dass du deinem eigenen Zustand leicht sprachlos gegenübersitzt.«*

Calvin Van Persys Beschreibung erscheint mir völlig griffig und richtig. Ich bitte ihn nun doch um etwas mehr Kaffee, vielleicht um die Situation zu entspannen, vielleicht aber auch aus einem neuen selbstzerstörerischen Trieb heraus. Calvin nimmt meine leere Tasse und geht mit ihr zur Maschine. Es folgt wieder diese Vielzahl routinierter Handbewegungen, zwischendurch passiert ein Blick in meine Richtung, und ich merke, dass Calvin darauf wartet, dass ich etwas sage.

»*Was würdest du mir denn empfehlen?*«, frage ich.

»*Ich glaube, es wäre für dich nicht schlecht, mal zu verreisen. Versteh mich bitte nicht falsch. Ich halte dein Denken nicht für eingeschränkt oder für uninspiriert. Du bist auf der Höhe deiner Zeit. Manchmal sogar deiner Zeit voraus. Und das liebe ich an dir, aber vielleicht ist es auch dein Problem. Vielleicht hattest du in den letzten Monaten alles zu sehr im Griff. Und jetzt kommt es mir so vor, als bedrücke dich der Alltag von CobyCounty. Klar, das mag paradox klingen, besonders im Frühling, aber manchmal braucht man neue Eindrücke, um die alten Eindrücke wieder wertschätzen zu können. Verstehst du in etwa, was ich meine?*«

Der nächste Espresso steht bald vor mir. Ich schwitze, ich spüre meinen Puls, ich schaue in Calvin Van Persys strahlend grüne Augen und beginne zu nicken.

12

Ich soll mich melden, sobald ich zurück bin, spätestens wenn sich der Frühling dem Ende zuneigt, wenn wieder viel zu tun sein wird in der Agentur. Außerdem soll ich lesen. Calvin Van Persy hat behauptet, dass es Texte gibt, die in der Lage seien, mich aufzulockern und anzuregen. Und sollte ich keinen finden, dann rät er mir, einfach selbst solche Texte zu schreiben, das helfe oft am allerbesten. Ich denke, dass er wirklich ein kluger Mann ist, dieser Van Persy. Aus den wenigen Eindrücken, die er in den letzten Wochen von mir sammeln konnte, scheint er vieles herausgelesen zu haben, und nun war er sogar in der Lage, es direkt zu benennen. Vielleicht ist nicht alles wahr, was er sagt, doch geschickt formuliert ist es in jedem Fall.

Draußen scheint die Sonne und es weht ein warmer Wind, der ständig seine Richtung wechselt. Ein paarmal atme ich tief durch und rieche verschiedene Sachen, zum Beispiel Croissants und im nächsten Moment die Blumenbeete am Straßenrand. Ich nehme mir vor, auf möglichst direktem Weg nach Hause zu gehen, auf keinen Fall mit der Tram zu fahren. Zu Fuß komme ich an meinem liebsten Fischrestaurant vorbei, wo sich immer montags ein paar verstreute Buddhisten treffen, um stillschweigend und selbstgerecht am größten Tisch zu sitzen. Zuletzt war ich mit Tom O'Brian und meiner Mutter in diesem Restaurant, es dürfte erst fünf Wochen her sein, es fühlt sich aber an, als wäre es vor Monaten gewesen. Wir haben damals Pangasiusfilet an Salzkartoffeln bestellt und über den nahenden fünfundsechzigsten Geburtstag meiner Mutter diskutiert. Tom O'Brian hat vorgeschlagen, dass es doch nett wäre, wenn ich an der Bar arbeiten würde, und für einige Momente habe ich ihn deshalb dann nicht mehr leiden können, was sich aber bis zum Nachtisch relativierte.

An einer großen Kreuzung fahren mehrere Familienvans vorüber, ein zu schneller Linienbus, zudem touristische Cabriolets, die vermutlich mit dem Autozug nach CobyCounty gebracht wurden, um ihre Motoren zu schonen. Es ist richtig laut an der Kreuzung. Neben mir taucht ein älterer Jogger auf, der konstant vor sich hin wippt, um nicht aus dem Rhythmus zu kommen. Er trägt einen Vollbart, ist komplett weiß gekleidet und scheint vor Anstrengung zu dampfen. Erst auf den zweiten Blick erkenne ich, dass es sich bei diesem hoch motivierten Jogger um meinen Dad handelt.

Wir setzen uns in das Fischrestaurant und bestellen Apfelsaftschorlen. Mein Dad trocknet sich das verschwitzte Gesicht an seinem weißen Frotteehandtuch ab, das er eitel um den Hals trägt. Sein Bart hat im Skypefenster noch weit weniger dicht ausgesehen.

»Mir fällt in dem neuen Apartment gerade die Decke auf den Kopf. Aber das wird sich wahrscheinlich bald legen. Spätestens, wenn die Innenarchitekten ihren Job gemacht haben.«

»Das klingt doch gut«, sage ich.

»Ja, ja, wir haben ja auch Zeit. Hauptsache, es gefällt am Ende. Wann kommst du uns mal besuchen?«

»Am besten dann, wenn alles fertig ist, oder?«

»Das ist ja bald! Der pessimistischsten Prognose nach in zwei

Wochen. Vielleicht mache ich dann auch ein Fest.« Mein Dad spielt für einen Moment an dem Handtuch um seinen Hals herum: *»Ach was! Ich mache auf jeden Fall ein Fest!«*

Dann lacht er und ich lache auch, denn sein Lachen wirkt ansteckend, auf diese leicht anbiedernde Art, die ich schon früh mit meinem Dad assoziiert habe.

Als wir mit dem Lachen fertig sind, beginnt er mir von seinem neuen Glück zu berichten: *»Natürlich will ich nicht behaupten, dass wir füreinander gemacht sind. Solche Formulierungen sind hohl und unsinnig. Aber diese Emotion hat sich ganz irrational eingestellt. Vielleicht weil einfach mal alles zusammenpasst.«*

»Wie lange liebt ihr euch denn schon?«, frage ich und klinge nicht ganz ernst dabei.

»Seit dem ersten Tag!« Mein Dad lacht schon wieder. *»Und der ist jetzt hundertdreizehn Tage her.«*

»Wow.«

»Ja: Wow! So schnell vergeht die Zeit!« Er trinkt beherzt aus seiner Apfelsaftschorle, die zwei Züge später leer ist. *»Möchtest du auch noch eine?«*

»Nein, danke. Ich war ja eben nicht joggen.«

»Jedenfalls musst du Cassandra kennenlernen. Sie ist fantastisch. Und ich gönne ihr so sehr, dass sie jetzt in CobyCounty lebt. Sie hat sich diesen Schritt nie zugetraut. Da musste schon erst mal Mister Endersson auftauchen ...«

Nun posiert mein Dad, indem er mit beiden Händen nach seinem Frotteehandtuch greift und es sich noch einmal neu um den Hals wirft. Diese Geste scheint er nicht bewusst auszustellen, sie wirkt eher wie ein Versehen, was sie aber natürlich nicht harmloser macht.

»Was macht Cassandra so?«

»Du meinst beruflich?«

Ich hebe die Schultern. Eigentlich will ich vielleicht wissen, was diese Frau ausmacht, über was sie sich definiert. Aber so eine Frage würde ich niemals stellen, vor allem heute nicht.

»Sie hat ein paar Jahre lang Kinderbücher illustriert. Aber jetzt hat sie das Fach gewechselt. Sie schreibt ihren ersten Roman. Du musst sie auf jeden Fall kennenlernen, Wim. Sie hat einen ganz eigenständigen Ton. Gib ihr zwei Absätze und sie hat dich ...«

Spätestens in diesem Moment, als Dad anfängt, mir Details zu dem Romanprojekt seiner vierunddreißigjährigen Cassandra zu pitchen, spüre ich eine innere Härte ihm gegenüber. Er redet weiter, aber ich höre gar nicht zu, sondern denke darüber nach, was ich jetzt zum Beispiel gerne sagen würde: *›Das klingt auf jeden Fall seicht.‹ ›Mit vierunddreißig sollte man nicht mehr anfangen zu schreiben.‹ ›Sie hat sich nie getraut, nach CobyCounty zu ziehen, weil sie hier einfach nichts verloren hat.‹ ›Du könntest würdevoller aussehen, Dad.‹ ›Und Cassandra: das ist ein schrecklicher Name.‹*

Als mein Dad fertig gesprochen hat, sage ich: *»Das klingt recht interessant. Ich freue mich, sie bald kennenzulernen.«*

Er bezahlt alle drei Apfelsaftschorlen und hinterlässt ein großzügiges Trinkgeld. Vielleicht weiß er, dass ich nicht ganz ehrlich zu ihm bin. Insgeheim hoffe ich das wohl.

Draußen, vor der gläsernen Eingangstür des Fischrestaurants, sagt mein Dad, dass er mich besser nicht umarmt, weil er noch immer sehr verschwitzt sei. Also geben wir uns die Hand und ich sage, dass es eine Weile dauern könne, bis wir uns wiedersehen. Er versteht nicht ganz, doch bevor er nachfragen kann, lenke ich ein: *»Ich meinte das als Gag. Weil* *die Innenarchitekten vielleicht länger brauchen werden, als du glaubst ...«*

»Denen mache ich jetzt bald Druck, das kannst du mir glauben. Also nicht zu viel Druck. Ich bin ja kein Tyrann ... Na ja. Ein bisschen tyrannisch bin ich vielleicht doch ... Haha!« Dann wieder dieses Lachen, noch etwas kraftvoller als zuvor. Ich lache mit. *»Wim. Ich schicke dir die Einladung per Mail!«*

»Ich freue mich, Dad!«

Er ist der einzige Jogger weit und breit. Trotzdem sehen die umhergehenden Passanten eher noch sportlicher aus als er, und nicht nur weil sie jünger sind, sondern weil sie vielleicht noch etwas mehr auf sich achten. Viele tragen bereits Sonnenbrillen, haben aber noch ziemlich blasse Gesichter. Dort, wo sie herkommen, ist es ja teils noch Winter, aber hier können sie die Ärmel ihrer gut geschnittenen Hemden bereits aufkrempeln. Mitunter frage ich mich, wie sehr sich das Alltagsleben dieser Freiberufler in den westlichen Metropolen von dem Leben unterscheidet, das sie in ihren Tagen in CobyCounty führen. Hier verbringen sie sicher mehr Zeit am Strand als zu Hause, auch mehr Zeit in Restaurants und Bars, auf Vernissagen und Konzerten, so wie auch ich mehr Zeit auf derartigen Events verbringe, wenn Frühling ist. Es ist davon auszugehen, dass auch diese Freiberufler ihren Alltag primär vor Laptops verbringen, still dasitzend und auf irgendeine Weise lesend. Im Grunde vergehen so vielleicht die allermeisten Tage, man sitzt vor Texten und Bildern, man redet und tippt. Hinzu kommen Schlaf und Ernährung und bei einigen noch Sport und Erotik, aber das bleibt ja auch beides eng an Texte und Bilder gekoppelt. Manchmal erstaunt es mich, dass mein vom Dasitzen und Lesen dominierter Alltag trotzdem ständig Risiken bereithält. Jede Entscheidung kann falsch sein, jede Formulierung gefährlich, jede E-Mail verletzend. In den seltenen Augenblicken, in denen mir das schlaglichtartig bewusst wird, komme ich mir handlungsunfähig vor. Aber dann handle ich meistens trotzdem, indem ich weiter auf den Bildschirm blicke und lese und irgendwann Grußformeln und Sätze eintippe. Zu dieser Art von Aktion bin ich bislang immer fähig geblieben, selbst wenn mir Sprechen schon unmöglich erschien.

13

Am späten Nachmittag treffe ich Magnusson in einer Suppen-
bar auf der Promenade. Der Raum ist so überfüllt, dass am
Eingang aparte Mädchen stehen müssen, um zu entscheiden,
wer eintreten darf und wer nicht. Glücklicherweise kenne ich
diese Mädchen aus meiner Zeit an der School of Arts and Economics, umarme sie zur Begrüßung und bestelle drinnen dann
eine Minestrone sowie ein englisches Bier. Um die Stehtische
gibt es überhaupt keinen Platz mehr, ein paar Skandinavierinnen wanken schon, draußen blendet die tief stehende Sonne.
Magnusson sind seine bisherigen Biere offenbar als rote Hit-
ze ins Gesicht gestiegen. Er begrüßt mich enorm motiviert,
drückt sich mit beiden Armen an mich und ist voller Dank:
Zuerst bedankt er sich für das Klassentreffen in Tom O'Brians
Hotelturm und dann dafür, dass ich seine Musik gespielt habe.

»Das hab ich gern gemacht. Die Musik kam ja auch gut an.«
    »Aber wenn du ehrlich bist, findest du sie eher nicht so gut …«
    *»Das kommt auf den Kontext an. In dem Kontext unseres
Klassentreffens im Konferenzraum haben mir deine Tracks gut
gefallen.«*

Magnusson sieht mir an, dass ich ernst meine, was ich gerade
sage, er kriegt einen verklärten Blick und prostet mir zu: *»Du
bist echt in Ordnung, Wim. Früher habe ich gedacht, dass du*

immer nur mit dir selbst beschäftigt bist, aber du kriegst eigentlich doch total viel mit.« Ich führe einen Löffel Minestrone zum Mund: *»Danke.«* Dann kaue ich auf dem gegarten Gemüse und Magnusson schaut durch den Raum: *»Du bist doch jetzt auch Single, oder?«* Als ich mit vollem Mund nicke, hebt Magnusson seine Hand, um bei mir einzuschlagen, und in diesem Moment kommt er mir wahnsinnig alt vor. Nach kurzem Zögern schlage ich dann aber doch bei ihm ein und Magnusson kündigt an, dass er zwei neue Biere holen geht, dabei sind unsere Gläser beide noch relativ voll.

So geht das eine ganze Weile. Wir sprechen mit verschiedenen Mädchen, einige scheinen aus den Beneluxstaaten zu stammen, andere aus Großbritannien, dazu all diese Skandinavierinnen, es ist ein europäisch dominierter Abend. Magnusson stellt sich meist als Musikproduzent vor, was ich als peinlich empfinde, aber ich lasse ihn das keinesfalls spüren, sondern nenne meinerseits Autoren, die ich vertrete oder bis vor kurzem vertreten habe. Weil eigentlich alle europäischen Touristinnen gerne Texte von Autoren aus CobyCounty lesen, nicken viele ganz entschieden, als ich erwähne, wer zu meinen Klienten zählt und welche Geschichten ohne meine Hilfe niemals erschienen wären. Die Regel ist, dass die britischen Mädchen am hysterischsten reagieren, ich deren Reaktion aber am wenigsten ernst nehmen kann, weil ich nicht daran glaube, dass irgendwer fähig ist, sich so spontan so sehr für etwas zu begeistern. Andererseits passt die aufgeregte Stimmung der britischen Mädchen gut in den Raum, da wir ja auch englisches Bier trinken, oder da wir zumindest glauben, dass wir englisches Bier trinken, weil es in Pintgläser hineingezapft wird. Je länger der Nachmittag dauert, je eher man behaupten müsste, dass es schon spät am Abend ist, desto fester gehe ich davon aus, dass mich Calvin Van Persy am Ende des Frühlings nicht wieder einstellen wird. Das Bier, das mich an anderen Tagen oft müde oder aggressiv macht, stimmt mich heute gleichgültig. Ich frage mich, ob ich dann in Zukunft lieber von dem Filmvermögen meines Dads leben möchte oder lieber von den gewaltigen Überschüssen des O'Brian-Hotels. Nach einigen Stunden im Suppenbistro bekomme ich das Gefühl, als würde tief in mir drin etwas nachgeben, als säße da ein geheimer Widerstand, von dem ich noch gar nichts wusste und der jetzt langsam bricht. In einem Augenblick frage ich mich tatsächlich, wie das Frühlingsleben an anderen Orten aussieht. Und als ich mich nach Gästen umblicke, die ich potenziell danach fragen könnte, greift eines der britischen Mädchen nach meiner Hand und zieht mich hinter sich her nach draußen.

Draußen ist dann nicht nur mir schwindlig, sondern scheinbar auch der Britin, denn sie wird augenblicklich blass und hört auf zu reden. Dass ein britisches Mädchen aufhört zu reden, passiert nur, wenn sie sich gleich übergeben muss, dachte ich immer, doch bei diesem Mädchen kommt es anders. Sie braucht nur etwas Ruhe an der frischen Luft. Wir setzen uns zusammen auf eine Holzstufe, ziehen Schuhe und Strümpfe aus und strecken unsere blanken Füße in den Sand, der mir noch feiner als sonst vorkommt. Ich lasse ihn zwischen meinen Zehen hindurchrieseln und das Mädchen erzählt, dass es schon ihr zweiter Urlaub in CobyCounty sei. Dieses Jahr gefalle es ihr noch besser als bei ihrem ersten Besuch. Ich überlege, sie nach ihrem Namen zu fragen, aber dann kommt mir diese Frage bloß bieder vor. Als wir aufstehen, um mit unseren Schuhen in der Hand am Strand entlangzuspazieren, fragt sie:

»Wie heißt du?«
   »Ich bin Wim.«
   »Ich bin Sara.«

Weil sie sich daran erinnert, dass sie vor zwei Jahren einmal nachts in die Colemen&Aura-Passage eingestiegen ist, gehen wir vom Strand aus dorthin. Ich habe noch nie gehört, dass man dort einsteigen kann, die Britin ist sich jedoch ganz sicher. Wir erreichen die Passage nach fünfzehn Minuten, sie ist kaum beleuchtet und steht als grauer Block in der Nacht. Sara sagt, dass man in Australien oft in Malls einsteige, um dort illegale Rollschuhdiskos zu feiern. *»In Australien? Du kommst aus Australien?«*

»Ja genau. Aus Melbourne.« Sara aus Melbourne fragt mich, ob die Passage nachts bewacht werde, aber mir ist in ganz CobyCounty kein einziger Ort bekannt, der nachts bewacht wird. Wir gehen um das Gebäude herum, teils betastet Sara die Wand, so als ließen sich darin einzelne Betonplatten verschieben. ›*Ihr macht das alles viel Spaß*‹, denke ich, ›*sie ist wie ein Kind in der Gestalt eines erwachsenen Mädchens.*‹ Wir tasten uns weiter geradeaus, bis plötzlich eine Person im dunkelblauen Licht eines Notausgangssymbols erscheint. Es ist ein uniformierter Mann, der vor uns seine Arme verschränkt: *»Die Colemen&Aura-Passage öffnet erst in fünfeinhalb Stunden. Kann ich euch helfen?«*

Ich gehe davon aus, dass Sara und ich noch sehr nach englischem Bier riechen, um das auszugleichen, versuche ich möglichst artikuliert zu sprechen: *»Wir haben gehofft, dass man auch um diese Uhrzeit Zutritt zur Passage hat. Wir dachten, wir könnten an den unbeleuchteten Ladenfenstern entlangbummeln und die Ruhe der Nacht genießen.«* Ich vermeide es zu lächeln, blicke dem Uniformierten sachlich ins Gesicht. Seine Augen sind nicht genau zu erkennen, dafür ist das blaue Notausgangslicht nicht hell genug. Ohne eine Antwort zu formulieren, zieht er eine Taschenlampe hervor und leuchtet uns an:

»*Ihr seid Touristen?*«

»*Nein*«, sage ich, »*ich bin in CobyCounty geboren.*«

Der Uniformierte nickt und richtet seine Lampe dann auf Sara, von der ich vermute, dass sie bald Schluckauf bekommt: »*Und du?*«

Mit einem Mal kommt mir der Uniformierte völlig unverschämt vor. »*Melbourne*«, sagt Sara. Der Mann nickt und senkt die Taschenlampe. Dann öffnet er die Tür unter dem Notausgangsschild und sagt: »*Es kostet acht pro Person.*« Sara bedankt sich und bezahlt für uns beide.

Wir gehen durch einen dunklen, akustisch abgeschirmten Gang, der neben einem Fachgeschäft für Laufschuhe inmitten der Passage endet. Ich blicke mich um und kann ungefähr erahnen, wo sich der Brunnen befindet, an dem ich Wesley zum letzten Mal gesehen habe. Für alles Weitere ist es eigentlich zu dunkel. Irgendwoher kommt Musik.

Zuerst wirkt diese Veranstaltung in der Passage wie eine relativ normale Frühlingsparty auf mich, nur dass eben weniger Licht brennt und die Musik leiser abgespielt wird. Etwas später jedoch, als mir Sara ein scharfes Mischgetränk reicht, fällt mir auf, wie unrein die Haut einiger Gäste ist. Ich sehe das, weil einige von ihnen aufdringlich dicht an mir vorbeigehen. Die meisten hier sind sicher Touristen, die über soziale Netzwerke von dieser Party erfahren haben, vielleicht schon bevor sie in die Ferien nach CobyCounty aufgebrochen sind. Ihre Attitüde erscheint mir etwas destruktiv. Viele stehen offensichtlich unter dem Einfluss wenig exklusiver Rausch-mittel, andere scheinen diesen Einfluss akut zu suchen, und die allermeisten bewegen sich unkollegial durch die Passage. Wobei diese Unkollegialität natürlich eine Folge der wenig exklusiven Rauschmittel sein kann. Beim Blick hinauf durch das Milchglas ist der unscharfe Mond als schmaler Streifen zu erkennen.

Sara und ich gehen eine Weile nebeneinanderher und trin-ken. Bald verlieren wir uns jedoch, vermutlich weil ich so un-aufmerksam ihr gegenüber bin, weil ich immer tiefer in diese diffuse Nachdenklichkeit gerate, die vermutlich alkohol- und müdigkeitsbedingt ist. Als ich bemerke, dass Sara verschwun-den ist, bleibe ich einmal stehen und schaue mich nach ihr um. Ich kann nicht einschätzen, seit wann sie verschwunden ist, auch nicht, ob sie sich vielleicht absichtlich davongestohlen hat. Überall herrscht dieses unvorteilhafte, bläuliche Licht. Ich halte mich nicht lange mit den Fragen zu Sara auf, schließlich hatten wir unsere Momente, wir werden sie zwar vergessen, aber wir hatten sie, so viel steht fest.

Vielleicht ist das nicht immer fair, was ich über Mädchen den-ke. Diese Sara war ja eigentlich wirklich nett, trotzdem möch-te ich ihr lieber nicht mehr begegnen. Und diese Cassandra kenne ich ja zum Beispiel noch gar nicht, trotzdem halte ich sie schon für dümmlich. Dabei wird ihr Name wohl nicht ihr eigener Fehler gewesen sein, es war sicher der Fehler ihrer Eltern, aber das ist ja eigentlich auch schon schlimm genug. Das scharfe Mischgetränk in meiner Hand ist bald leer. Ich stelle mich vor einen der Tische, hinter denen Kühlschränke aufgebaut sind. Es gibt anscheinend nur dieses eine Getränk zu kaufen. Zwischen den Tischen und Kühlschränken stehen junge Frauen, die Bargeld oder Kreditkarten entgegennehmen und dann die Becher auf den Tisch vor die Kunden stellen. Die Frau, die mir meinen neuen Becher servieren soll, wirkt etwas älter als die anderen. Ihr Gesicht kommt mir kurz bekannt vor, dann wieder nicht. Als wir uns anschauen und ich ihr meine Kreditkarte reichen möchte, ändert sich plötzlich ihr Blick:

»Hey. Du bist Wim, oder?«
   »Ja ...«
   »Wir kennen uns aus dem O'Brian-Hotel!«
   »... Pia?«

Pia sagt, dass ich nicht bezahlen müsse, sie reicht mir den Becher an und lächelt und ihr Gesicht legt sich in Falten. Sie ergänzt, dass sie in dreißig Minuten frei haben werde und dass wir uns dann unterhalten könnten.

Es geht mir nicht besonders gut nach dem zweiten Becher, ich gehe bereits jetzt fest davon aus, dass ich mich am nächsten Vormittag übergeben werde. Ich setze mich auf eine Treppenstufe vor einem Damenschuhgeschäft, das es zu der Zeit, als meine Mutter hier einkaufen ging, noch gar nicht gab. Die Schuhe sind nur als Umrisse zu erkennen. Wenn ich mein Gesicht an das Schaufensterglas lehne, dann kommt es mir vor, als würde ich ganz allein in der abgedunkelten Passage sitzen. Ich weiche vor dem Anblick der schwarzen Damenschuhsilhouetten zurück, und plötzlich sitzt Pia schon neben mir. Sie hat mir einen weiteren Becher mitgebracht, er ist voll bis zum Rand.

   »Ich freue mich, dass du hier bist«, sagt sie, *»hätte gar nicht gedacht, dass du dich im Untergrund sehen lässt.«*

Sie benutzt das Wort ›*Untergrund*‹ ohne jedes Augenzwinkern, wie mir scheint. Zuerst will ich nachfragen, was genau es mit dieser Partyreihe auf sich hat, aber eigentlich erschließt es sich ja von selbst: Es hat ziemlich sicher etwas mit weniger guten Rauschmitteln und mit einer eingeschränkten Getränkeauswahl zu tun, vielleicht auch mit blauer, unvorteilhafter Beleuchtung.

»Arbeitest du schon lange für den Untergrund?«, frage ich.

»Seit ich im Hotel aufgehört habe.«

Ich nicke, ohne zu wissen, wann das gewesen sein soll.

»Ich wollte unbedingt was Neues kennenlernen. Im Hotel fühlte ich mich überspannt und ziemlich ermüdet zugleich. Aber das kennst du bestimmt ... bist du noch an der School of Arts and Economics?«

»Nein, ich bin jetzt Agent.«

Pia schaut mich an und dann prostet sie mir zu, obwohl man sich mit diesen Bechern gar nicht richtig zuprosten kann, sie stoßen geräuschlos aneinander und etwas Flüssigkeit schwappt aus meinem. Ich frage: *»Gibt es den Untergrund eigentlich auch in den anderen Jahreszeiten?«*

Pia trinkt einen Schluck und schaut mich an, als könnte ich meine Frage gar nicht ernst meinen. Ich zucke vorsorglich mit den Schultern. Sie sagt: *»Wir sind saisonunabhängig. Uns gibt es immer.«* Pias Stimme klingt jetzt so, als hätte sie jahrelang geraucht. Sie macht eine Geste, die ihre eigene Trunkenheit ausdrücken soll, etwas aus den Handgelenken heraus, und dann steht sie auf: *»Du scheinst nicht tanzen zu wollen ... Wim?«* Ich höre sie kaum noch, als sie sagt: *»Na ja. Vielleicht sehen wir uns später.«*

Ich bleibe sitzen, den Becher mit der linken Hand umfassend, und blicke mich um. Die anwesenden Touristen kommen mir schlecht gelaunt und nervös vor. Ich spüre eine enorm moralische Stimmung in mir aufsteigen, so sehr, dass ich fast glaube, ich müsste mich jetzt gleich übergeben und nicht erst morgen früh. An diesem Punkt strande ich selten und eigentlich ausschließlich durch scharfe Mischgetränke: Ich bin leicht labil und den Tränen nah und gleichzeitig voller Wut. Kurz glaube ich, dass ich etwas sagen möchte, quer in den Raum hinein, aber dann zieht sich meine Kehle zusammen, und dann könnte ich höchstens noch eine E-Mail schreiben: ›*Eine Gefahr, die wir noch in diesem Frühling spüren werden, die ganz CobyCounty spüren wird ... Es sei denn, wir verlassen die Stadt.*‹ Ich stelle den vollen Becher auf der Treppenstufe ab und suche den dunklen, akustisch abgeschirmten Gang nach draußen.

14

Dass ich mich am Morgen dann doch nicht übergeben muss, irritiert mich kurz, aber wenn einem nicht übel ist, dann ist einem eben nicht übel. Ich frühstücke Obst, trinke dazu ein Glas Eistee, ich vertrage alles wie immer, doch ich fühle mich noch etwas matt. Ich habe einen Zustand erreicht, in dem ich mir eigentlich keine Fragen mehr stelle. Triste Erinnerungsbilder blitzen auf: Pias Falten, unreine Haut, Damenschuhsilhouetten. Ich ziehe eine navyblaue Sporttasche aus meinem Wandschrank. Die Tasche habe ich seit gut eineinhalb Jahren nicht mehr in den Händen gehalten, vielleicht weil ihr Volumen nur dann sinnvoll ist, wenn ich für mehr als fünf Tage verreise. Oder wenn ich mich auf keinen Fall entscheiden kann, welche Hemden, Anoraks und Hosen ich auf einen Ausflug mitnehmen möchte, und ich dann einfach viel mehr als nötig einpacke. Ich öffne eine Schublade und greife einen Stapel Boxershorts sowie einfarbige T-Shirts und Strümpfe. Ich setze alles nebeneinander in die Sporttasche, ich denke nicht viel nach, ich denke nicht einmal an mögliche Wetterlagen, ich nehme lediglich an, dass ich frische Unterwäsche brauchen werde.

Vor meiner Wohnungstür wuchte ich das Gepäck über meine Schulter und gehe auf den Hauslift zu. Natürlich wäre ein Koffer mit Rollen bequemer gewesen, doch mit der Sporttasche fühle ich mich vitaler.

Jemand hat einen Go!Vote!-Sticker auf die Spiegelfläche im Lift geklebt. Am Wochenende finden unsere Regierungswahlen statt, wie in allen ungeraden Jahren am ersten Samstag im Frühling. Dieses Mal wird vergleichsweise wenig dafür geworben. Auf der Promenade habe ich nur ein paar schlichte Plakate hängen sehen, neben den Eingangstüren von Bars und Bistros. Präsenter ist die Wahl auf den regionalen Webstartseiten. Auf CobyCountySpotlights sind humorvolle Ansprachen unseres Bürgermeisters abspielbar, als Videos, die mit leicht anrührenden Stadtimpressionen verschnitten sind. Diese kleinen Werbefilme haben mir oft ein gutes Gefühl gegeben, teilweise so sehr, dass ich unseren Bürgermeister Peter Stanton am liebsten sofort umarmt hätte. Er tritt derzeit in mehrfarbigen Logo-T-Shirts auf, die weder zu seinem Blick noch zu seiner strengen Frisur passen, aber vergleichbare Shirts hat er auch vor den letzten beiden Wahlen schon getragen, und die Wähler empfinden das als selbstironisch und als sehr sympathisch. Auch mich überzeugen diese leicht albernen Oberteile und die gut gemachten Videos, ganz unabhängig davon, ob ich mir gerade Sorgen um unsere Stadt mache oder nur Sorgen um mich selbst. Soweit ich weiß, wurde in CobyCounty noch nie jemand benachteiligt. Wer mal für eine Weile ohne Job ist oder sich bewusst gegen das Arbeiten entscheidet, erhält ein gewisses Gehalt von der Regierung, aber dieses Gehalt nimmt fast niemand in Anspruch. Denn entweder sind die Familienvermögen vollkommen ausreichend, oder man liebt seinen Job einfach zu sehr, als dass man ihn für ein geschenktes Regierungsgehalt aufgeben wollte. Der Gegenkandidat Marvin Chapmen vermittelt in seinen Videobotschaften den Eindruck, als würde er dieses Prinzip gar nicht richtig begreifen. Ich habe bisher nur eines der Videos gesehen, und auf diesem hat Chapmen aus einem etwas zu leger geschnittenen Leinensakko heraus erzählt, dass es in Zukunft wichtig werde, junge Talente schon früher in die Mitte CobyCountys zu holen. Chapmen ist braun gebrannt und etwas unsauber rasiert, man ahnt, dass er ganze Jahre seines Lebens ausschließlich an unseren Sandstränden verbracht hat. Ich frage mich, ob er damit eventuell einige Teenager für sich gewinnen kann, aber auch wenn er das schaffen sollte, wird es für ihn nicht zum Sieg reichen. Denn der amtierende Bürgermeister kümmert sich im Grunde ziemlich gut um alles, auch wenn ihm manchmal vorgeworfen wird, dass sein Einstieg in die Politik als einziger Sohn von Carmen Aura, der Nichte Steven Auras, sicher vergleichsweise leicht gewesen ist. Ich halte diese Vorwürfe schon immer für etwas paranoid. Denn etablieren kann sich ein Politiker ja nur durch charismatisches Auftreten und durch sinnvolle Entscheidungen, und für beides ist Peter Stanton bekannt. Auch nach dem Hochbahnunglück hat er sich angemessen verhalten. Beim Überreichen der Auszeichnungen an die Helikopterpiloten hat er teilweise etwas unsicher und jugendlich gewirkt, und das haben sicher wieder alle als sehr sympathisch empfunden.

›*Eigentlich mögen Kinder baumwollene Jogginganzüge*‹, denke ich, als ich auf der Straße drei ungefähr Neunjährige in gutsitzenden Jacketts sehe. Sie gehen auf eine rostfarbene Limousine zu und folgen dabei ihrem Vater, der in seinem eigenen Anzug weit weniger elegant aussieht, vielleicht weil seine Schultern längst zu breit geworden sind. Die Lässigkeit des Vaters sieht im Vergleich zu der Lässigkeit der Jungs regelrecht antrainiert aus. Vielleicht ist er ja von außerhalb, und nur seine Kinder sind in CobyCounty geboren, vielleicht liegt es wirklich daran, überlege ich, aber das ist wieder so eine Spekulation, die mir ja gar nichts bringt. Als die Jungs auf der Rückbank des Wagens ihre Plätze einnehmen, wirken sie weder besonders unglücklich noch besonders enthusiastisch. Es kommt mir so vor, als hätten die drei gerade sehr lange ferngesehen, sie schauen versunken durch die getönten Seitenscheiben und bemerken mich gar nicht. Möglich ist aber auch, dass sie auf dem Weg zu ihrer ersten Beerdigung sind. In diesem Fall wären ihre Gesichtsausdrücke auch schon wieder angemessen. Mir kommt der Gedanke, dass ihre Mutter gestorben sein könnte, und als der Wagen aus meinem Sichtfeld verschwunden ist, breche ich in Tränen aus. Es ist ein pauschales Schluchzen über viele Dinge zugleich, über den Gesichtsausdruck der Söhne, über die Einsamkeit des Dads, über die Merkwürdigkeit meines Frühlings. Zwar ist gerade niemand in der Nähe, der mein Schluchzen hören könnte, trotzdem reiße ich mich schnell wieder zusammen. Die fiktionalen Schicksale von Kindern sind immer sehr anrührend, eben weil Kinder etwas sind, das eigentlich jeden Menschen, der einigermaßen klug ist, überfordern muss. Wahrscheinlich gab es gerade aus dieser Einsicht heraus in Wesleys Leben eine Phase, in der er über einen Job im Kindergarten nachdachte. Er muss damals etwa fünfzehn gewesen sein, also in einem Alter, in dem man ideell motivierte Pläne macht, die man später auf jeden Fall wieder verwirft, um sich dann auf die emotionaleren Pläne zu besinnen, die man mit zwölf gemacht hat.

Ich muss gar nicht warten, sondern kriege sofort eine Tram. Die Sporttasche stelle ich auf das Lederpolster neben mich und lege den Arm um sie. Ich habe nicht vor, sie im Laufe der

Fahrt auch nur ein einziges Mal loszulassen. Aufgrund einer roten Ampel sehe ich die rostfarbene Limousine mit den drei Jungs auf der Rückbank ein weiteres Mal. Im Vorüberfahren versuche ich in den Innenraum zu blicken, doch ich kann gar nichts erkennen, und als die Ampel auf Grün springt, fährt die Limousine davon. Meine Tram verlässt langsam den Schatten der Häuserzeile und biegt in das Sonnenlicht der Hauptstraße ein. Vor den Cafés sitzen Urlauber, deren schlichte Frühjahrsgarderobe von hohen Eisbechern und vereinzelten Cocktails verdeckt wird.

Am Bahnhofsschalter erkläre ich, dass ich für meine Reise kein konkretes Ziel habe, aber mich zunächst auf eine Zugfahrt freue. Ich klinge pathetisch aufgeladen, wie ein später Jugendlicher, der normalerweise wenig spricht, sich aber in diesem Augenblick sehr wichtig nimmt. Um konkreter zu werden, sage ich: *»Im Grunde suche ich nach einem Freund, der weggefahren ist, aber ich weiß nicht, wohin.«* Mir ist das alles enorm unangenehm, aber der junge Mann am Schalter scheint großes Verständnis zu haben, er macht mir verschiedene Angebote für Zugtickets mit optionalen Ausstiegen. Ich erwerbe ein Ticket in Richtung Nordwesten, es ist ein Ticket für den CC.MetroExpress, Buchungskategorie A, ich gebe sogar etwas Trinkgeld. Zuletzt blitzt ein strahlendes Lächeln aus dem Gesicht des Ticketverkäufers. Er wünscht eine tolle Fahrt, ich lächle auch und bedanke mich sehr.

15

Der Zug steht bereit. Als ich einsteige, sind noch einige Plätze frei, aber in den darauffolgenden Minuten wird es rapide voll. Mein Fenstersitz erscheint mir merkwürdig optimal, komfortabler und heller als alle anderen Sitze. Da er sehr groß ist, fühle ich mich wie ein kleiner Junge, der mit seinen Füßen kaum das helle Kunstholzparkett erreicht. Aber das ist bloß so ein warmes Gefühl, das wahrscheinlich nur aufkommt, weil ich erst vor einer halben Stunde schluchzen musste. Die Nachmittagssonne fällt schräg in die Bahnhofshalle und ich kann mir gut vorstellen, wie es aussehen würde, wenn all diese Menschen da draußen nun im Zeitraffer an den Gleisen entlanggingen, während das Licht immer röter würde und die Schatten wanderten. Genau genommen habe ich das sogar schon einmal gesehen, nämlich in einem Werbeclip für den Bahnhof, der vor einigen Monaten den Nachrichtenvideos auf CobyCountySpotlights vorangestellt war. Ich habe ihn damals kitschig und doof gefunden, und ich konnte auch nicht nachvollziehen, weshalb unser Bahnhof eine solche Kampagne nötig haben soll. Einmal wollte ich mit Wesley über diese Kampagne sprechen, daran erinnere ich mich, aber dann habe ich den Faden verloren, und später kamen wir nie mehr auf das Thema zurück.

Durch die Lautsprecher unter den Gepäckablagen grüßt der Schaffner in vier verschiedenen Sprachen, es macht Spaß, ihm zuzuhören, da er alle vier Sprachen akzentfrei beherrscht. Der Zug ist nahezu ausverkauft, das Personal scheint hochzufrieden zu sein, es werden sofort Snacks angeboten: kleine Packungen mit gerösteten Nüssen, Schokoladenriegel sowie Weingummi. Ich decke mich für die ersten Fahrtstunden ein, ziehe meinen Laptop aus der Sporttasche und beginne zu tippen:

Ich glaube nicht, dass ich echte Erinnerungen an meine Zeit im Kindergarten habe. Die Bilder, die aufflackern, wenn ich nach Kindergartenerinnerungen suche, sind in das verwaschene warme Licht getaucht, das ich sonst nur von Werbeplakaten kenne. Vielleicht ist es ja so, dass sich auch andere Leute in diesem Licht an frühe Glücksmomente erinnern und dass deshalb mit diesem Licht geworben wird, oder es ist so, dass ich eben gar keine eigentlichen Erinnerungen an diese Zeit habe, sondern nur diese Plakate kenne. Manchmal fahre ich mit dem Fahrrad an meinem ehemaligen Kindergarten vorbei. Daher weiß ich, dass es sich um einen hellblau angestrichenen Bungalow mit Strandblick handelt, eingefasst von einer Rasenfläche, die stets so frisch gemäht aussieht, dass es fast Kunstrasen sein könnte. Die gut gelaunten Frauen und Männer, die auf meinen inneren Plakatwänden auftauchen, habe ich mutmaßlich sehr gemocht, und ich glaube, dass sie uns Kindern immer Kakao und weiche Kuchen serviert haben. Auf keiner meiner Plakatwände sind Wolken zu sehen, so als hätte uns Kinder jeden Tag eine warme Sonne bestrahlt. Dabei kann das ja gar nicht sein, es muss auch im Alter zwischen drei und fünf einige Starkregentage gegeben haben, so wie in jeder anderen Lebensphase auch.

Einmal hat Carla gesagt, dass sie im Alter von vierunddreißig gerne ein Kind kriegen würde, lieber einen Sohn als eine Toch-

ter. »Jungs lassen sich leichter in ein stabiles Leben überführen«, begründete sie ihre Aussage, was natürlich sehr gewagt und weit aus dem Fenster gelehnt war. Aber für sperrige Aussagen war sie immer gut, und das mochte ich auch an ihr. Selbst das Alter vierunddreißig habe ich voll und ganz nachvollziehen können, wahrscheinlich weil mir eine Wartezeit von zehn Jahren bis zum ersten Kind angemessen vorkam. Wir haben natürlich nie darüber gesprochen, dass ich der Vater ihres Sohnes sein könnte. Höchstens zwischen den Zeilen, denn die wirklich wahnsinnigen Gedanken liegen ja immer zwischen den Zeilen. In diesem Fall war es der Wahnsinn einer Aussicht auf eine zehnjährige Beziehung, die dann in eine neue Dimension münden würde, in eine zweckmäßige Erziehungsgemeinschaft, die einem Kind alle denkbaren Wege möglichst lange auf möglichst hohem Niveau offen halten sollte. Zum Glück haben wir das niemals im Ernst thematisiert.

Noch so etwas, das Carla einmal sagte: »Ich halte eigentlich nichts von Monogamie. Aber manchmal macht sie Spaß.« Nach diesem Satz hatten wir eine unserer besten Nächte. Carla saß auf mir und wir waren beide ziemlich betrunken. Wir führten kleine Dialoge, während wir Sex hatten, hauchten also nicht nur irgendwas, sondern sprachen Halbsätze, die auch sehr ehrlich wirkten. Angetrunkenheit war bis zuletzt ein entscheidender Faktor in unserem Erotikleben. Im ersten Jahr spielte dieser Faktor aber auch außerhalb der Erotik eine große Rolle. Wenn wir zu zweit Konzeptgastronomien besuchten, fühlte ich mich bei Gesprächspausen immer etwas verstockt und unsouverän. Kühle Drinks verbesserten diesen Zustand. Nüchtern stellte ich oft alles zu sehr in Frage, diese Sache mit uns, ob die wirklich Sinn machte, ob wir andockten, mental und physisch, oder ob *wir uns das bloß wünschten, weil wir im Grunde ärmlich und bedürftig waren. Teilweise verlor ich in verschwiegenen, unangetrunkenen Zuständen völlig das Gespür für uns. Ich denke, dass wir beide immer diese offene, aber ernsthafte Beziehung gewollt haben, die auch eine gewisse, unausgesprochene Verbindlichkeit mit sich brachte, für unsere insgeheim biederen Herzen.*

In den Konzeptgastronomien und auch an den anderen Orten – am Stand und vor den Eissalons, im Kino und in den Theaterfoyers – bedrückte es mich immer wieder, wenn Carla schweigsam war. Ich dachte dann, dass sie mich in Frage stellte. Oder dass sie sich gerade an eine ihrer Exfreundinnen erinnerte. Dann wurde ich aus Trotz ebenfalls schweigsam und setzte einen melancholischen Blick auf. Es waren teils schwierige Stunden. Aber ich bin heute sentimental genug, um zu behaupten, dass ich fast keine dieser Stunden missen möchte. Abgesehen von den Stunden auf den ColemenHills vielleicht, in denen wir uns so oft übergeben mussten, weil wir uns an den Fonduesoßen unsere Mägen verdorben hatten. Diese Stunden würde ich tatsächlich gerne aus meinen Erinnerungen herausschneiden. Aber das wird sicher nicht gehen, denn an die wirklich unangenehmen Dinge erinnert man sich für immer.

In den Monaten, in denen Wesley Mentholzigaretten rauchte, weil ihn das angeblich erfrischte, haben wir oft am Fuße der ColemenHills gesessen. Ich erinnere mich an einen Frühjahrsabend, an dem Wesley zwischen zwei Zügen aus der Mentholzigarette fragte, was ich später eigentlich mal machen wolle. Mit ›später‹ meinte er die Zeit nach der Highschool, die Zeit ab achtzehn, und ich habe gesagt, dass ich auf die School of Arts and Economics gehen möchte. Und dann hat Wesley einige Momente lang genickt und geschwiegen, und in diesen Momenten sah sein Rauchen etwas ungeschickt aus, denn er musste mehrfach mit einem Auge blinzeln, weil sein eigener Qualm darin brannte. Irgendwann sagte er: »Ja. Warum nicht?« Damals hatte ich den Eindruck, dass Wesley ein wenig enttäuscht war von meiner Antwort, als wollte er selbst auf etwas ganz anderes hinaus und als verschwiege er mir dieses Ziel, aber ich fragte nicht nach. Letztendlich ist dann ja auch Wesley wie erwartet an die School of Arts and Economics gegangen, nur glaube ich, dass es bei ihm ein paar Momente gab, in denen er, Mentholzigaretten rauchend, ernsthaft an dieser gemeinsamen Zukunftsperspektive gezweifelt hat. Das war vielleicht schon immer der Unterschied zwischen uns. Er stand etwas mehr unter Spannung als ich, er machte sich etwas mehr Stress und Sorgen. Sicherlich hing das auch mit dem aufkeimenden Spiritualismus seiner Mutter zusammen. Er hat ja dieselbe Ausbildung wie ich durchlaufen, nur wurde diese bei ihm zu Hause manchmal grundlegend hinterfragt. Seine Mutter ging ja ab einem bestimmten Zeitpunkt davon aus, dass Qualitätsdenken nicht gut für unseren Energiehaushalt ist. Dass man sich durch Ambitionen letztlich von sich selbst entfernt und sich nicht etwa, wie es die meisten anderen glaubten, selbst verwirklicht. »Karrieren sind ein hohles Ziel«, soll sie mal gesagt haben, aber ich habe das als Wesleys bester Freund prinzipiell anders gesehen, zumal ich auch annahm, dass seine Mutter in ihrem speziellen Bereich ja ebenfalls Karriere machen wollte. Sie wollte ein immer ausgeglicheneres Energielevel erreichen, eine erfolgreichere Neo-Spiritualistin werden, und wahrscheinlich tut sie bis heute alles dafür, auch wenn das von außen nicht besonders ambitioniert wirkt. In einigen dieser Trainings sitzt man wohl nur so da und blickt bei Nacht in den Himmel, aber man tut das ja doch zielgerichtet, unter Umständen sogar streberhaft, aber *das gibt natürlich keiner zu. Wesley muss irgendwo dazwischen gestanden haben, zwischen seiner Mutter und den meisten anderen, und in gewisser Weise könnte so etwas ja eine Zerreißprobe darstellen, aber das kann man wahrscheinlich auch nicht so pauschal sagen.*

Ich glaube, dass bis zu seinem Weggang alles immer schleichend passiert ist. Beziehungsweise: dass ich alle Prozesse immer als schleichend empfunden habe. Während der Seminare im Fach ›Neues internationales Literaturmarketing‹ wurde ich ständig besser im Erkennen von potenziell beliebten Manuskripten und irgendwann war ich dann Agent. Und zwischen Carla und mir veralltäglichte sich der Umgang im Laufe unseres Kontakts so sehr, dass wir bald kaum noch etwas zu verhandeln hatten, sondern nur noch unsere Treffen organisierten. Aber das waren jeweils leise Prozesse, die nebenher stattfanden, ohne dass man sie wirklich mitbekam. Doch seit Wesley verschwunden ist, hat das Leben etwas Abruptes und Plötzliches bekommen, und das war bislang sehr bedrückend. Auch wenn ich hier im CC.Metro-Express das Gefühl habe, dass darin auch eine Chance liegen könnte.

Nach diesem Absatz klappe ich den Bildschirm meines Computers herunter und lehne mich im ausladenden Komfortsitz zurück. An meinen Fingern klebt Salz, im Laufe des Schreibens habe ich die erste von zwei kleinen Nusspackungen leergegessen. Durch das Fenster schaue ich auf Unmengen von gelbem Raps, auf ein scheinbar endloses Feld, an dem mein Zug lautlos vorüberrast. Über dem Raps ist der Himmel hellblau. Zum ersten Mal seit langem erscheinen mir Text und Realität emotional verschränkt: Ich schreibe über neue Chancen und draußen verändert sich die Landschaft, zumindest ein bisschen, auf das Rapsfeld folgen Windräder und gigantische Strommasten. ›*Hier wird CobyCounty mit Licht versorgt*‹, denke ich, dabei weiß ich doch eigentlich, dass unsere Stadt ihr eigenes Licht erzeugt, mit Solar- und Wind- und Wasserkraft. Nach den Strommasten sind wieder Rapsfelder zu sehen, so goldgelb, dass ich annehme, dass die Tönung der Zugscheiben alle Farben prächtiger aussehen lässt. Sukzessive entferne ich mich vom Meer und fahre in diese goldgelbe Rapswelt hinein. Laut Reiseplan ist die nächste relevante Stadt noch mehrere Stunden entfernt, aber das stört mich gerade überhaupt nicht. Die Felder flirren hinter den Scheiben vorbei, wie übergroße Fotografien, kaum vorstellbar, dass hier jemals Regen fällt. Ich schreibe weiter:

Als Kind, schon Jahre bevor ich Wesley kannte, habe ich mir oft die Zukunft ausgemalt, wie vermutlich die meisten Kinder. Zuerst ging ich davon aus, dass ich mal wie mein Dad sein würde, also dass ich mit Journalisten über meine Filmproduktionen sprechen und dass ich sie dabei zum Lachen bringen würde. Die positiven Artikel würden dann ein paar Wochen später auf dem Frühstückstisch liegen, und darauf würde ich mit meiner Lebenspartnerin oder meinem Lebenspartner schon am Vormittag anstoßen. So habe ich das kommen sehen. Später habe ich dann aber erfahren, dass man eigentlich einen anderen Weg als seine Eltern gehen will. Und deshalb glaubte ich dann an eine Zukunft in den Vereinigten Staaten von Amerika oder in Zentraleuropa, jedenfalls weit weg. Vor allem wir Kinder sahen ja regelmäßig Filme, die aus diesen befreundeten Ländern kamen, und einige von uns lasen auch Bücher von dort. Ich stellte mir mein späteres Haus so ähnlich vor wie die Häuser, die ich aus

CobyCounty kannte, dass ich also eine Etage mit fünf bis acht hohen Zimmern bewohnen würde, nur eben woanders, zum Beispiel in Manhattan. Dort wollte ich dann aber in ganz anderen Stockwerken leben als in CobyCounty, nämlich über den Wolken. Ich dachte, ich würde später in fliegende Busse steigen, die in den Wolken neben meiner Haustür anhielten, und mit diesen Bussen würde ich zu meinem chinesischen Kampfsporttraining fahren, das ich, in sehr elegante Roben gekleidet, in frei schwebenden Räumen absolvieren würde.

Ich höre auf zu tippen, weil plötzlich mein Handy in der Sporttasche vibriert. Ich kann Wesleys Namen durch das dünne Nylon des Außenfachs hindurch auf dem Display leuchten sehen. Ich zögere für einen Moment, greife zuerst nach einem Weingummi, aber dann doch nach dem Telefon. Ich klinge etwas heiser:

»Hallo?«

»Wim! Ich bin's ... So voll war es letztes Jahr aber noch nicht auf der Promenade! Bist du hier irgendwo?«

Eine Person schiebt einen Snackwagen zwischen den Gängen hindurch, bietet kalte Getränke und Kaffee an. Mir wäre nach einer Pepsicola, aber ich möchte das Gespräch nicht unterbrechen.

»Sitzt du im Zug!?«

»Ja. Ich bin am Nachmittag losgefahren. Ich schreibe und ich esse Nüsse und Weingummi. Es geht mir hier ziemlich gut.« Für einen Moment schweigen wir beide.

»Ich konnte mich nicht bei dir melden. Es war Teil des Programms. Ich war in den USA, bei meiner Mutter. Die meiste Zeit haben wir im Auto gesessen und geschwiegen. Und das

war wichtig, aber auch nicht leicht … Ein paar Sachen musste ich einsehen.«

»Kannst du konkreter werden? Ich habe gerade etwas aufgeschrieben und bringe sonst vielleicht Text und Realität durcheinander.«

Wesley lacht. *»Dir scheint es ja echt nicht schlecht zu gehen … Mir geht es jetzt auch wieder gut. Ich habe das Leben meiner Mutter gelebt. Zum ersten Mal. Und es war sinnvoll. Ich weiß jetzt genauer, wer ich bin …«* Wesley spricht jetzt gedämpfter als vor seiner Abfahrt, er scheint jedes einzelne Wort bewusst zu modulieren. Es klingt sonderbar: *»Für mich war es ein Ausweg, zu gehen. Aber die eigentliche Lösung ist es, wiederzukommen. Es ist Frühling, Wim! Der letzte Frühling, bevor wir siebenundzwanzig werden … Bist du am Samstag wieder hier? Ich gebe ein Wahldinner! Da wird es einiges zu bereden geben.«*

16

Der kleine Bahnhof, an dem ich aussteige, scheint frisch ge-
strichene Mauern zu haben. Es wird gerade dunkel. Neben
mir verlassen zwei Frauen mit glänzenden Rollkoffern den
Zug, sie gehen zielstrebig in eine Richtung und schauen mich
gar nicht an. Die Luft hier ist kühler als die Luft in CobyCounty, und es ist windig und es riecht ein wenig nach Essig und
nach Wandfarbe. Weil kein Personal in Sicht ist, stelle ich
mich vor einen der Ticketautomaten, um Informationen über
Züge in Richtung CobyCounty zu erhalten. Langsam tippe ich
mich durch die fremden Display-Menüs und erfahre, dass bereits in dreißig Minuten ein günstiger Expresszug fahren wird,
allerdings kein CC.MetroExpress.

Wesley hat am Telefon zwar nicht wirklich gut geklungen,
schien aber bester Laune zu sein. Wenn er nur normal verreist
wäre, dann könnte er mir nun sicher Dinge über die USA erzählen, die ich noch gar nicht weiß, und eventuell würde morgen dann der beste Frühling aller Zeiten beginnen, wenn auch
leicht verspätet. Aber er ist ja nicht normal verreist, er ist mit
seiner Mutter durch die Welt gefahren, er hat ihr Leben aus-
probiert, und er hat angefangen, jedes einzelne seiner Wörter
sonderbar soft zu modulieren.

Im günstigen Expresszug finde ich keinen Sitzplatz mehr,
weil sämtliche Abteile voller Freiberufler sind, beziehungs-

weise voller internationaler Jugendlicher, die gerne einmal Freiberufler werden wollen. Die meisten von ihnen trinken Sekt aus den kleinen Plastikbechern, die das uniformierte Zugpersonal vergleichsweise unfreundlich anbietet. Der Freisekt scheint Teil einer Reisepauschale zu sein, die ich zwar nicht abgeschlossen habe, aber trotzdem nutzen darf. Die Passagiere sprechen lauter als nötig, es herrscht eine irgendwie programmatische Fetenmotivation, wie ich sie eher von den Sechzigjährigen zu kennen glaubte. Diese Jugendlichen verhalten sich, als wären selbstbewusste Zusammenkünfte unter Alkoholeinfluss die tollste Sache der Welt. Und damit liegen sie ja normalerweise auch richtig, doch im Augenblick wird mir fast übel vom Sektgeruch. In der ersten Stunde lehne ich jeden Plastikbecher noch ab, um dann ab der zweiten Stunde umso entschlossener zuzugreifen. Da die gerösteten Nüsse und Weingummis der Hinfahrt nicht besonders nahrhaft waren, bin ich recht bald angetrunken und beginne mit Gesprächen, die mir in nüchternem Zustand zuwider wären. Einem zweiundzwanzigjährigen Schweizer erzähle ich, dass ich in den letzten Wochen das Gefühl hatte, dass CobyCounty in Gefahr ist. Der junge Schweizer hört mir interessiert zu, also erwähne ich auch Wesley und dass wir uns schon lange kennen, seit über vierzehn Jahren. Und dann sage ich, dass Wesley vielleicht eine Person ist, die eher davon ausgeht, was theoretisch möglich wäre, während ich eine Person bin, die eher von dem ausgeht, was sichtbar ist. Diese Unterscheidung zwischen Wesley und mir habe ich vorher noch nie so ausgesprochen, fällt mir auf, sie ist in gewisser Weise auch eben erst entstanden, also während ich trinkend von ihm erzählt habe. Der Schweizer findet einen wissenschaftlichen Begriff für Wesleys Geisteshaltung, doch ich vergesse diesen Begriff sofort wieder, weil ich noch zu sehr damit beschäftigt bin, mich über diese neue Unterscheidung zwischen Wesley und mir zu wundern.

Als der Zug den Bahnhof von CobyCounty erreicht und alle aussteigen müssen, werde ich von dem Schweizer und auch von einigen anderen Passagieren herzlich umarmt. Ich drücke zurück, ohne einschätzen zu können, ob ich meinerseits ebenso herzlich oder eher verstockt wirke. Es ist mitten in der Nacht. In der Bahnhofshalle denke ich, dass es schon bald Tag werden könnte, und versuche zu verstehen, dass ich nicht einmal vierundzwanzig Stunden weg gewesen bin. Ich schaue an mir herunter. Ich trage dasselbe Hemd wie in dem Fischrestaurant, als mein Dad die Apfelsaftschorlen bezahlt hat. Wahrscheinlich bin ich im Augenblick nicht nur betrunken, sondern von diesen beiden langen Fahrten auch so übermüdet, dass ich friere, als ich den Bahnhof verlasse. Es weht ein strenger, fast herbstlicher Wind, und ich drehe beim Gehen die Sporttasche vor meine Brust, um mich zu schützen.

Gegen Mittag weckt mich Wesleys Klingeln. Ich öffne die Wohnungstür in weißer Unterwäsche. Wesley verzichtet darauf, den Hauslift zu nehmen, er geht die Treppenstufen nach oben. Seine Collegejacke ist ihm ein wenig zu groß, sie hängt offen an ihm herunter, und sein noch länger gewordenes Haar scheint frisch gewaschen zu sein.

»Woher wusstest du denn, dass ich schon wieder da bin?«
»Du hast mir gestern Nacht noch eine SMS geschickt. Mit zwei orthografischen Fehlern. Warst du betrunken?«

In der Küche setze ich Wasser auf. Wesley fragt, wohin ich mit dem Zug habe fahren wollen. Ich sage, dass ich kein genaues Ziel hatte, und Wesley nickt, als wäre das eine gute Sache, als wisse er genau, von was ich rede.

»Ich musste an deine Aussagen in der Passage denken. Und dann dachte ich, dass wir uns vielleicht irgendwo treffen könnten. Wir hatten ja oft einen ziemlich ähnlichen Geschmack …«
»Du wolltest in die USA?«
»Nein.«

Gerade als das Wasser zu kochen beginnt, fragt Wesley: *»Und wann hat sich Carla von dir getrennt?«* Ich schaue ihn wortlos an. *»Wim, das hat sich ewig angedeutet. Das ist natürlich keine Überraschung.«*

Ich nicke: *»Vor zwei Wochen ungefähr.«*
»Ungefähr?«
»… Vor zwölf Tagen. Am fünfundzwanzigsten Februar.« Ich klinge jetzt, in meiner weißen Unterwäsche dasitzend, etwas ungehalten, da mir Wesley in seiner offenen Collegejacke einen Tick zu selbstgerecht erscheint. Normalerweise trinken wir schwarzen Tee mit Milch oder den starken Kaffee aus der Agentur. Heute gibt es grünen Tee, aber Wesley lässt diese Entscheidung unkommentiert zwischen uns stehen. Eine Weile nippen wir an unseren Tassen, während die Mittagssonne grell durchs Fenster fällt. Wenn man wollte, könnte man in der breiten Lichtbahn den Küchenstaub zirkulieren sehen.

»Warum bist du zurück? An welche Möglichkeit glaubst du jetzt?«
»Möglichkeit?«
»Du bist doch eine Person, die sich theoretisch mögliche Dinge überlegt, denen sie dann leicht manisch entgegenfiebert.«

»Hm.« Wesley scheint sich über meine Aussage zu freuen. *»Manisch war ich nie. Unruhig vielleicht, aber manisch nie. Auch nicht, als ich aufgebrochen bin. Und das weißt du selbst ... Meine Mutter hat sich einen gebrauchten Volvo Kombi gekauft. Die Innenausstattung hätte dir gefallen. Wir haben nirgendwo besonders lange Halt gemacht, nicht gefilmt, nicht fotografiert, nichts aufgeschrieben. Wir sind einfach gefahren. Manchmal haben wir an Tankstellen gestoppt, um Limonade zu kaufen. Vor den Tankstellen haben wir uns unterhalten oder geschwiegen. ›So ist es hier‹, hat meine Mutter manchmal gesagt, und dann habe ich gesagt: ›Ja, so ist es‹, und dann sind wir wieder weitergefahren. Natürlich haben wir immer verschiedene Sachen gemeint und ständig aneinander vorbeigeredet, aber so funktioniert dieses Training ganz oft. Man hört auf, sich gegenseitig im Denken zu behindern. Man ist eben einfach zusammen unterwegs. Es war schön zu sehen, dass es meiner Mum wieder gut geht.«* Wesleys Stimme klingt plötzlich noch zarter, als er ›Mum‹ sagt statt ›Mutter‹: *»Wim, wenn der Frühling endet, werde ich siebenundzwanzig Jahre alt sein.«*

»Ich weiß.«

»Für mich wird es Zeit, zu ein paar Dingen zu stehen.« Wesley legt seine beiden Handflächen vor sich auf den Tisch. *»Ich bin ziemlich verliebt in Frank. Ich hab das bisher nur nicht zugegeben ...«*

Ich trinke einen Schluck Tee und schaue zum Fenster hinaus, über einige Häuserdächer hinweg, und dann schaue ich wieder zu Wesley. Ich gieße meine Tasse noch einmal hoch voll. *»Entschuldige mich kurz. Ich will mir was überziehen.«*

Im Wohnzimmer ziehe ich ein Outfit aus meiner noch prall gefüllten Sporttasche, eine recht gewöhnliche Jeans, dazu ein

Hemd, das ich nur so mittelmäßig mag. Es wird besser sein, sich Wesley gegenüber jetzt neutral zu verhalten. Früher haben wir nie gesagt, dass wir verliebt in jemanden sind. Weil uns das konstruiert vorkam, und weil wir nicht naiv sein wollten. Wer lange genug darüber nachdenkt, ob er wirklich verliebt ist, der wird irgendwann die Sicherheit über seine Gefühle verlieren, so viel steht fest. Deshalb kann es auch nie besonders smart sein, zu behaupten, dass man verliebt ist, vor allem nicht, wenn man vorher angeblich lange nachgedacht hat. Ich überprüfe den Sitz meines Hemdes im Spiegel. In Kombination mit dieser hellblauen Jeans sieht es nun doch erstaunlich gut aus. Es hat jetzt zwar schon mehr als vierundzwanzig Stunden zusammengefaltet in der Tasche gelegen, aber die Knicke sind überhaupt kein Problem, im Gegenteil: Sie strukturieren die Hemdform.

Zurück in der Küche, bemühe ich mich um einen sachlichen Blick. Wesley knüpft nahtlos an: *»Weißt du, ich hatte auch kein ganz ungebrochenes Verhältnis zu Carla …«*

»Carla ist vorbei.«

»Aber Carla wirkt nach. Und das ist gut so. Sie hatte einen guten Einfluss auf dich, obwohl ich sie nie besonders mochte.«

Ich stehe auf und schütte meinen noch immer leicht dampfenden Tee in das Spülbecken. Wesley kennt mich offenbar gut genug, um zu wissen, dass ich in den nächsten Momenten nun nicht mehr in der Lage sein werde, sinnvoll zu sprechen. Also redet er einfach weiter:

»Ich habe mir zu lange was vorgemacht. Ich habe mir eingeredet, dass mehr als eine Affäre mit Frank nicht möglich wäre. Du weißt, dass er zugezogen ist. Und natürlich kommen einem

diese Leute weniger smart vor als die Leute, mit denen man schon im Kindergartenbungalow oder in Eishockeyworkshops seine Zeit verbracht hat …« Wesley grinst jetzt anbiedernd, zwar nur kurz, aber für mein Empfinden schon zu lang. *»Trotzdem will ich das jetzt versuchen mit ihm … Am Samstag sollte er in einer besseren Verfassung sein als zuletzt am Flughafen. Gib ihm eine Chance.«* Wesley zwinkert und steht auf. Von seinem Tee hat er kaum etwas getrunken.

Als sich die Tür hinter ihm schließt, beginne ich umgehend die E-Mail zu formulieren, mit der er nun sicher rechnet. Ich schreibe, dass es für mich völlig in Ordnung ist, wenn er wieder etwas mit Frank startet, dass ich darin kein Problem sehe. Ich schreibe es so, dass meine Enttäuschung zwischen den Zeilen spürbar wird. Dabei will ich es gar nicht so schreiben, es passiert einfach, da mir jetzt keine weichen Vokabeln mehr einfallen und ich zu abfedernden Nebensätzen augenblicklich nicht in der Lage bin.

Im größten Keyboardfachhandel der Stadt arbeitet ein Mädchen mit kurzem Haar. Es trägt eine beigefarbene Uniform und ähnelt Carla sogar, zumindest auf Ebene der Statur. Doch einen solchen Job, an der Kasse eines Fachhandels, hätte Carla niemals gemacht, dafür wäre sie zu eitel gewesen, oder vielleicht auch zu ängstlich.

»Hallo, ich suche ein Keyboard.«
   »Wir haben einige, wie du vielleicht siehst. Gibt es spezielle Wünsche?«
   »Es soll einen guten Sound haben und schön sein …«
   »Wie lange spielst du denn schon?«
   »Ich spiele gar nicht. Es wird ein Geschenk …«

»Und wie lange spielt die Person schon, der du es schenken willst?«

»Sie spielt schon ihr ganzes Leben lang Piano. Aber ich finde, sie sollte jetzt mit dem Keyboarden anfangen.«

Während dieses Gesprächs blicken wir uns streng in die Augen. Die Verkäuferin fordert mich auf, ihr durch den Laden zu folgen. Sie führt mich zu einem Panoramafenster, vor dem einzelne Keyboards großzügig aufgebaut sind. Sobald man seine Hände auf eines der Geräte legt und dann nach vorne schaut, sieht man die Abendsonne auf dem Meer glitzern. Ein wolkenloser Frühlingstag neigt sich seinem Ende zu. Man kann gar nicht anders, als die Instrumente und das Wetter und den Blick aufs Meer als Einheit zu begreifen.

»Du zeigst mir gleich das Spitzensegment?«, frage ich.

Die Verkäuferin nickt, mit dem Rücken zum hellen Fenster stehend, und blickt auf meine Hände, die ungeschickt auf den Tasten liegen.

»Wenn du möchtest, kannst du auch etwas spielen, um den Klang zu testen.«

»Das würde ich gern. Leider kann ich nicht spielen. Testest du ihn für mich?«

Und dann stellt sich dieses Mädchen in der beigefarbenen Ladenuniform sehr aufrecht vor eines der Keyboards, schaltet es ein und spielt einzelne Akkorde. Die Anlage summt gewaltig und warm. Wäre ich um diese späte Uhrzeit nicht der einzige Kunde im Laden, würden sich die anderen Kunden sehr wahrscheinlich zu uns umdrehen. Ich schaue die Verkäuferin von der Seite an. Ihr Profil hat etwas Sachlich-Kühles, und mir fällt auf, dass ich bisher erst selten über Profile nachgedacht habe. Vielleicht weil man seinem eigenen höchstens auf Fotografien oder Videoaufnahmen mal begegnet, auch wenn man sich dann immer wundert und nicht so schnell sattsehen kann.

»Und? Was meinst du zum Klang?«
    »Ich weiß nicht. Ich bräuchte einen Vergleich.«

Also stellt sich das Mädchen vor ein weiteres Keyboard und drückt auch bei diesem einige Tasten. Ich kann keinen echten Unterschied erkennen, finde aber, dass die Funktionsknöpfe oberhalb der Klaviatur bei diesem zweiten Gerät eleganter angeordnet sind.

»Ich glaube, das gefällt mir besser.«
    »Gute Wahl.«

Nur wenige Minuten später habe ich das Edelkeyboard dann tatsächlich mit meiner Kreditkarte bezahlt und lasse es mir in einem vielfarbigen Karton mit weißem Tragegriff über die Kasse reichen. Der Karton ist weniger leicht, als ich gedacht hätte, zumal die Verkäuferin ihn so mühelos in die Luft gestreckt hat. Sie lächelt nun zum ersten Mal, und ihre Augen lächeln sogar mit, was mich ziemlich erstaunt. Ich lächle dann auch, ohne dass ich es verhindern könnte.
    »Sollte ich mal Technikfragen haben, erreiche ich dich dann über die Service-Hotline?« Ich pruste fast los, als ich diesen Satz ausspreche, weil er mir so anzüglich vorkommt. Die Verkäuferin steht beigefarben vor mir und schweigt, wohl um mich zu testen. Ich halte ihr Schweigen dann auch eine ganze Weile aus, sie still anblickend, mit dem Keyboardkarton in der

Hand. Irgendwann nickt sie und greift nach einer Karte, auf der mehrere Service-Hotlines aufgelistet sind. Sie ergänzt die Hotlines mit einem Kugelschreiber um eine weitere Nummer. Dann streckt sie mir formell ihre Hand entgegen:

»Ich bin Carla.«
   »Ich bin Wim.«

17

Mein Bezirk wählt dieses Jahr in einem umfunktionierten Eissalon. Ich bin spät dran, aber das sind für gewöhnlich die meisten. Die Wahlbeteiligung lag zuletzt bei rund sechsundneunzig Prozent, die vier Prozent Nichtwähler verschlafen den Tag, vergessen die Briefwahl oder sind apolitisch. Es läuft oft gute Musik in den Wahllokalen und es gibt Süßwaren sowie ein Freigetränk für jeden, der seine Stimme abgibt. Ich bin froh, dieses Mal auf keine angetrunkenen Peter-Stanton-Fans zu treffen. In anderen Jahren bin ich schon in Wahlfestivitäten hineingeraten, die dann bis in die Morgenstunden andauerten, oder auch bis in den nächsten Vormittag hinein, aber heute ist erstaunlich wenig los.

Eine einzige andere Person verlässt gerade die Wahlkabine, es ist der feminin gekleidete Croissantverkäufer vom Parkkarree. Wir nicken uns freundlich zu. Als ich bei den Wahlhelfern meinen Stimmzettel abhole, bleibt der Croissantverkäufer noch für einen Moment in der Eingangstür stehen. Er spricht mich an: »*Wen wirst du wählen?*« Ich sage: »*Unseren Bürgermeister.*«

Der Croissantverkäufer lächelt aus seinem zarten Gesicht heraus: »*Gut so. Ich finde, wir sind jetzt auf dem richtigen Weg in dieser Stadt.*« Ein merkwürdiger Ernst liegt in seiner Stimme. Als wären wir jemals auf einem anderen Weg gewesen. Ich nicke zögerlich, und bevor ich in der Kabine verschwinden kann, stellt er die nächste Frage: »*Bist du noch mit deiner dunkelblonden Freundin zusammen?*«

Ich drehe mich nur halb zu ihm um: »*Gerade nicht mehr, nein.*«

»*Das tut mir leid.*«

»*Schon in Ordnung. Ich bin darüber hinweg.*«

Die Stellwände der Wahlkabine sind türkis, passend zu den Tischplatten des Eissalons. Ich blicke auf den Zettel und mache mein Kreuz im falschen Feld, neben »*Marvin Chapmen*«, sodass ich es wieder wegkritzeln muss, um danach das richtige Feld anzukreuzen. Ich bin zwar nicht ganz sicher, ob der Stimmzettel nun überhaupt noch gültig ist, aber es wäre mir auch unangenehm, nach einem neuen zu fragen. Also zeichne ich das Kreuz neben ›*Peter Stanton*‹ mehrfach nach, sodass es auch von weitem zu erkennen wäre.

Es erleichtert mich, dass der Croissantverkäufer nicht gewartet hat. Außer mir sind jetzt nur noch die Wahlhelfer im Eissalon, drei gutaussehende Studenten, die aufgereiht hinter der Theke stehen. Ich bestelle einen Espresso zum Mitnehmen, um einigermaßen wach auf Wesleys Dinner zu erscheinen, und meine Bestellung wird strahlend entgegengenommen. Der Espresso kommt in einem kleinen, gut isolierten Pappbecher, der mit dem *Go!Vote!*-Logo bedruckt ist. Er liegt warm, aber nicht zu heiß in der Hand, und als der Kaffeedunst in meine Nase steigt, bin ich für einen Moment wieder sehr glücklich, in CobyCounty zu leben. Im Raum sind Boxen verteilt, es läuft ein Popsong, aus dem ich das Keyboard plötzlich kristallklar heraushören kann. Für meine Fahrradfahrt zu Wesley lasse ich mir von den Wahlhelfern noch etwas Teegebäck einpacken.

Das Dinner hat offiziell erst vor einer halben Stunde begonnen, doch der blonde Johnson tanzt bereits vor sich hin. Er trägt ein dünnes, weit ausgeschnittenes Trägerhemd. Soweit ich weiß, war er mit achtzehn der schnellste Mann von CobyCounty, und zu Schulzeiten hat er in vielen verschiedenen Auswahlmannschaften gespielt. Er blickt mich betrunken an: *»Wim ist da! Leute! Wim ist da!«* Frank und Amy und Max sitzen um den runden Esstisch, auf den ein mächtiger Fisch drapiert wurde. Frank hat sich ein weißes Hemd mit feiner Knopfzeile angezogen, durch das seine kleinen, dunkelbraunen Brustwarzen zu erahnen sind. Er scheint sich des Ernstes der Situation bewusst zu sein, das merke ich gleich, das liegt in seinem Blick und dem formellen Händedruck, für den er extra aufsteht. Amy und Max sind schon immer ein Paar, ich gebe auch ihnen die Hand, aber sie bleiben dabei entspannt vor ihren Weißweingläsern sitzen. Wesley steht am Herd und rührt eine Soße an. Sein Blick ist bereits glasig, er kommt auf mich zu und reicht mir ein etwas zu volles Glas: *»Schorle!«*, sagt er. Es riecht nach Koriander und nach zerlassener Butter, aber vor allem nach der würzig anfrittierten Haut dieses mächtigen Fisches, dieses ausgewachsenen Pintauyork. Ich stoße mit allen Gästen an, auch mit dem kaum bekleideten Johnson, der als einziger Rosé trinkt. *»Du bist ja immer noch gut in Form«*, sage ich, *»ich dachte, du würdest jetzt Drogen nehmen und langsam aufschwemmen.«* Johnson lacht pauschal. Wir kennen uns schon lange, hatten aber nie den besten Draht. Er hat dieselbe Highschoolklasse wie Wesley besucht, er war sein erster Liebhaber. *»Meine Drogen halten mich gut in Schuss«*, sagt er, und dann berührt er meine Bauchpartie mit dem Zeigefinger: *»Bei dir ist das wohl anders?«* Ich antworte, dass die meisten Mädchen diesen kleinen Bauch sehr süß fänden und dass es mir gut damit gehe. Johnson schaut mir in die Augen, Wesley bittet uns an den Tisch.

An der Wand hängt sein Fernseher, auf dem gerade die dürre Jane mit einem Mikrofon zu sehen ist. Jane ist eine meiner Mitschülerinnen aus PrimarySchool-Zeiten, mittlerweile arbeitet sie als Politreporterin. Ich glaube, dass mein Dad mal eine Affäre mit ihrer Mutter hatte, aber das spielt für uns beide ja eigentlich keine Rolle. Ich begegne ihr auch nur selten, sie geht wohl in etwas andere Bars als ich, aber vielleicht bleibt sie auch oft zu Hause, das ist beides möglich. Der Ton des Fernsehers ist noch ausgeschaltet, die ersten Hochrechnungen sind nicht vor halb elf zu erwarten. In der Regel inszenieren die Sendeanstalten eine lange Wahlnacht, obwohl alles meistens schnell feststeht. Es ist kurz vor zehn. Johnson wirft sich ein Hemd über, bevor er sich zu uns setzt. Wesley überlässt es, obwohl er Gastgeber ist, jemand anderem, den edlen Pintauyork anzuschneiden. Er fragt aber nicht in die Runde, sondern übergibt das Messer ganz selbstverständlich an Frank. Frank krempelt seine Ärmel auf, sodass seine Unterarmtätowierung deutlich zu sehen ist: ein lachender Delfin, aus dessen Schwanzflosse der Kopf eines Einhorns erwächst, darüber der Schriftzug ›Friendship‹ in altertümlicher Typografie. Wahrscheinlich hat sich Frank diese Tätowierung in einem Alter stechen lassen, in dem auch ich noch über Einhörner und Delfine lachen konnte. Wenn Frank klug wäre, würde er irgendwann anfangen, diese Tätowierung ernsthaft schön zu finden. Doch vermutlich wird er versuchen, seine Ironie über Jahrzehnte hinweg zu konservieren, die Tätowierung offensiv zur Schau tragen, sich aber insgeheim für sie schämen. Es klingt gut, als die frittierte Haut des mächtigen Fisches unter seinem Messer zerbricht. Frank verteilt die ersten Stücke sauber auf unseren Tellern und erzählt von einem kalifornischen Fest, das vor einigen Tagen am Strand stattgefunden habe, organisiert vom Untergrund, primär besucht von Touristen aus Los Angeles und San Francisco. Johnson behauptet, dass der Untergrund immer bessere Partys schmeißen würde, dass sich da einiges bewege in letzter Zeit. Er ruft: *»Sogar Wim säuft jetzt im Untergrund!«* Amy und Max schauen mich überrascht an, Wesley scheint längst Bescheid zu wissen. Johnson macht beim Sprechen hektische Gesten: *»Ich hab ihn in der Colemen&Aura-Passage gesehen …«*

Während ich mir von dem gegarten Gemüse und den Süßkartoffeln nehme, sage ich wie nebenher, dass die Veranstaltung in der Passage hässlich und dumm gewesen ist. Ich schaue in Johnsons leuchtend blaue Augen: *»Wie hat es dir denn gefallen?«*

»Meiner Ansicht nach die lebendigste Party dieses Frühlings bisher. Aber ich habe heute ja auch gegen den Familienclan AuraColemen gestimmt.«

Wir ignorieren seinen Seitenhieb. Ich wende mich an Amy und Max, die bereits essen und zufrieden aussehen: *»Geht ihr auch auf diese Feste?«*

Max grinst. *»Nein, Amy ist dafür zu häuslich geworden.«* Alle am Tisch wissen, dass er ungefähr das Gegenteil von dem meint, was er gerade gesagt hat. Amy schaut mich an:

»Wir waren auch auf dieser Kalifornienparty. Die war eigentlich sehr lustig. Nur konnte ich danach ein paar Nächte nicht mehr durchschlafen. Aber vielleicht gehört das ja dazu.«

»Eine Frage der Gewohnheit«, sagt Johnson.

»Sicher«, sagt Amy, *»nur will ich mich gar nicht daran gewöhnen.«* Für einige Momente ist nur das Besteck auf den Tellern zu hören. Ich trinke meine Weißweinschorle in gro-

ßen Zügen, was aber kaum auffällt, weil das alle an diesem Tisch so machen. Kurz frage ich mich, ob das schon immer so gewesen ist, mit den Weißweinschorlen. Und dann denke ich an früher und stelle fest, dass wir in dieser Konstellation noch nie zusammengesessen haben. Amy und Max sind schon lange mit Wesley befreundet, seit der elften Klasse ungefähr, und auch damals waren sie schon ein Paar. Ich bin ihnen meist nur zufällig begegnet, aber wir hatten nie ein Problem miteinander. Dass Johnson und ich aufeinandertreffen, hat Wesley immer zu verhindern gewusst, und Frank gibt es ja erst seit Januar.

Der Pintauyork ist außen knusprig und innen zart, das ist die klassische Zubereitung dieses Salzwasserfisches, der angeblich nur vor der Küste CobyCountys zu finden ist und nur noch selten gefangen werden darf. Trotzdem bleibt sein Verzehr an Wahlabenden sowie am Neujahrstag Tradition. Ich versuche mich ganz auf seinen salzigen Geschmack zu konzentrieren.

Nach dem Dessert, einer Honig-Joghurt-Speise an gerösteten Walnüssen, stellt uns Wesley fünf Pfefferminzliköre auf den Tisch. Der Likör brennt in der Speiseröhre und auf dem TV-Schirm kündigt Jane die erste Hochrechnung an. Wir erheben uns und bleiben auf dem Weg zum Sofa mitten im Raum stehen. Sitzen will in diesem Moment niemand, auch wenn es ja eigentlich gar nicht so spannend werden kann. Johnson folgt nur zögerlich, Frank legt seinen Arm um Wesleys Hüfte. Wir halten unsere leeren Likörgläser in der Hand.

Meine ehemalige Mitschülerin Jane nickt aufgeregt in die Kamera: »*Und es sieht zum aktuellen Zeitpunkt tatsächlich nach einer faustdicken Überraschung aus …*«

Das dreifarbige Kuchendiagramm zeigt zwei große Stücke und ein kleines. Unser amtierender Bürgermeister Peter Stanton liegt gleichauf mit dem schlecht rasierten Marvin Chapmen. »*Na bitte!*«, ruft Johnson und klatscht in die Hände. Die anderen schweigen. Ich spüre, dass mich Wesley von der Seite anblickt.

Jane spricht aus dem Bildschirm: »*Sollte sich dieser Trend bestätigen, dann hätte Marvin Chapmen einen hauchdünnen Vorsprung und könnte Peter Stanton als Bürgermeister von CobyCounty ablösen. Wir sind gleich zurück mit ersten Stimmen und Analysen.*«

Als die Werbeclips beginnen, schaltet Wesley den TV-Ton wieder ab. Er geht zum Tisch und gießt sich einen weiteren Pfefferminzlikör ein. »*Man hat das ja irgendwie kommen sehen*«, sagt Frank und schaut zu Wesley, aber Wesley ignoriert ihn. Franks weißes Hemd kommt mir jetzt noch durchscheinender vor, vermutlich weil er direkt unter der Deckenbeleuchtung steht.

»*Und mit mir freut sich jetzt keiner!?*« Johnson spricht viel lauter als nötig. Amy und Max verneinen, ich versuche zu schlichten: »*Dieser Marvin wird sicher eng mit dem alten Bürgermeister zusammenarbeiten.*«

»*Das glaubst du doch selbst nicht.*«

»*Natürlich glaube ich das. Ich denke, das ist unsere Art der Politik in CobyCounty. Man profitiert voneinander.*«

»*Das hast du in der Schule gelernt, was?*«

»*Zumindest war ich auf einer Schule.*« Mir kommt diese Antwort zwar nicht besonders schlagfertig vor, jedoch macht sie Johnson sofort aggressiv. Es gab mal das Gerücht, dass er auch auf die School of Arts and Economics wollte, es aber nicht geschafft hat. Er reißt seine Augenbrauen nach oben, doch bevor er etwas sagen kann, reicht ihm Wesley einen Pfefferminzlikör: *»Trink das, Johnson. Auf deinen Marvin Chapmen.«* Johnson ist kurz irritiert, trinkt den Likör dann aber in einem Zug, bevor Wesley sagt: *»Bist du sicher, dass du noch bleiben willst? Meine Mum würde sagen, dass deine psychosomatischen Energien hier unnötig heißlaufen.«* Wesley versucht selbstironisch zu lächeln, wird aber gleich wieder ernst.

»Du wirfst mich aus deiner Wohnung, weil ich anderer Meinung bin als ihr?«

»Nein. Ich glaube nur, dass es mehr Sinn macht, wenn wir uns bald mal zu zweit treffen.«

Die beiden Freunde, die als Teenager manchmal miteinander geschlafen haben, stehen nun als späte Jugendliche dicht voreinander und blicken sich an. Ich schiebe meine Hände in die Hosentaschen, ziehe sie aber gleich wieder heraus.

»Okay. Dann gute Nacht.« Johnson blickt noch einmal durch die Wohnung, jedem Einzelnen brutal ins Gesicht, dann öffnet er die Tür. Im Treppenhaus sind seine Schritte zu hören. Amy und Max halten ihre Arme verschränkt. *»Tut mir leid«*, sagt Wesley.

»Die sich hinziehende Hochbahnreparatur wird als ein möglicher Grund für das Scheitern der Wiederwahl angegeben.« In den folgenden Stunden der Berichterstattung kommen Experten und Kandidaten zu Wort, zwischendurch viel Musik. Der noch amtierende Bürgermeister spricht besonnen und gefasst in die Kameras, er wünscht seinem Nachfolger alles Gute und kündigt an, sich nun für eine Weile aus seiner Heimatstadt zurückzuziehen: *»Ich glaube, es könnte für mich an der Zeit sein, mal auf Reisen zu gehen.«* Er trägt ein neues, dreifarbiges Logo-T-Shirt, das ihn juvenil und lustig erscheinen

ließe, wären da nicht diese tiefen, dunklen Augen, die ganz automatisch immer etwas traurig aussehen. Ich würde ihn jederzeit wiederwählen, denke ich angetrunken auf Wesleys Couch sitzend. Frank scheinen die vielen Pfefferminzliköre nicht bekommen zu sein, er ist im Laufe der Nacht immer blasser geworden und hat sich bereits in Wesleys Schlafzimmer zurückgezogen. Wesley lächelt wenig nachvollziehbar vor sich hin, und Max schläft mit dem Gesicht an Amys Schulter gelehnt.

Als mich die Sonne weckt, liege ich unter einem hellgrauen Laken auf der Couch. Der Fernseher ist ausgeschaltet. Ich richte mich auf.

»*Schon wach?*«, fragt Wesley, während ich mir die Augen reibe. Er sitzt am runden Tisch und liest Zeitung, vor ihm steht eine Karaffe voller gelbem Fruchtsaft.

»*Wo sind Amy und Max?*«, frage ich.

»*Vor gut acht Stunden nach Hause gegangen.*«

Ich setze mich nach vorn gebeugt hin und fahre mir mit den Händen durchs Haar. So mache ich das immer, wenn ich Kopfschmerzen habe.

»*Da zieht Rauch über die Häuser*«, sagt Frank, als er in seinen viel zu knappen Shorts vom Balkon kommt. Wesley schaut über seine Zeitung hinweg: »*Stimmt. Es riecht auch verbrannt.*« Ich hole mehrfach tief Luft, um das zu überprüfen, kann jedoch nur Franks Deodorant riechen, nämlich ColemenSimpleForMen, und denke, dass ich das jetzt nicht mehr benutzen werde.

Weil bald auch Sirenen zu hören sind, stellen wir uns zu dritt nach draußen. Erneut legt Frank seinen Arm um Wesleys Hüfte. Es geht nun wohl darum, ganz eng zusammenzurücken. Wesley deutet in den Norden: »*Der Rauch kommt von den ColemenHills.*«

Mein Dad hebt sein Telefon nicht ab, und Frank scheint sonst nie mit dem Fahrrad unterwegs zu sein, er liegt bald abgeschlagen zurück. Wesley und ich sprechen kein Wort. Wir sind auf seine Initiative hin in Richtung der Unfallstelle aufgebrochen, anstatt den Fernseher einzuschalten. Wesley hat gemeint, dass er eine neue Skepsis gegenüber den CobyCounty-TV-Anstalten empfindet, spätestens seit diesem Wahlabend. Immer wieder steige ich aus dem Sattel und fahre sportiv im Stehen, während Wesley stoisch sitzen bleibt. Es wirkt gerade so, als habe er sich in den USA bewusst gegen das Radfahren im Stehen entschieden.

»*Lass uns mal auf Frank warten*«, sagt er unvermittelt. Wir halten neben dem Schaufenster eines Spielwarengeschäftes und schauen Frank entgegen. Er fährt fast die ganze Zeit im Stehen, sein weit ausgeschnittenes T-Shirt beult sich im Wind aus. Wesley sagt: »*Das Rad ist viel zu klein. Er kann nichts dafür.*«

»*Schon gut.*« Ich muss kurz husten, vielleicht weil schon so viel Rauch in der Luft liegt. Ich überlege, ob der Rauch den Himmel verdunkelt, ob jetzt eine ewige Nacht über Marvin Chapmens Stadt hereinbrechen könnte, aber dafür wird der Brand wohl nicht großflächig genug sein.

»*Tut mir leid!*«, sagt Frank, als er uns erreicht hat. Er ist außer Atem und blickt in das Schaufenster mit den Spielwaren. Wesley lächelt und schweigt. Dann fahren wir weiter, langsamer als zuvor. TV-Stimmen und -Jingles dringen aus den geöffneten Fenstern, die Geräuschkulissen überlagern sich, es sind zu viele verschiedene Sender eingeschaltet. Manche

Menschen stehen auf ihren Balkons, andere auf der Straße. Auf Fahrrädern sind außer uns nur einige Zwölfjährige unterwegs, die meisten schneller als Frank.

Es hat keinen vernünftigen Grund für diese Fahrt gegeben, überlege ich dann, als wir am Fuße der ColemenHills neben unseren Damenrädern stehen bleiben und den Rauchschwaden entgegenblicken. Ich lege eine Hand vor meinen Mund. Über uns sind die ersten Helikopter zu hören. Nach einigen Momenten blicke ich auf mein Handy. In einer SMS meines Dads steht: ›*Hatte gerade kein Netz. Wir sind zu Cassandras Eltern gefahren. In drei Tagen zurück. Einweihung naht ... Bis bald!*‹

18

Noch spät in der Nacht kann ich die Scheinwerfer der Lösch-
hubschrauber über den ColemenHills kreisen sehen. Mittlerweile kommt es mir vor, als wären die Lichter von Minute zu
Minute deutlicher zu erkennen, als klärte sich der Himmel
auf, weil die Flammen in sich zusammenschrumpfen. Ich blicke durch mein Küchenfenster und umfasse eine warme Tasse
Tee. Natürlich übertragen auch weiterhin alle regionalen TV-
Anstalten die Löschaktion, aber diese Übertragungen werden
sicher von Kommentatorenstimmen dominiert, und wenn ich
allein bin, dann sitze ich lieber geräuschlos am Fenster.

Am Nachmittag habe ich es weniger lang am Fuße der
Hills ausgehalten als Wesley und Frank. Teilweise hatte ich
den Eindruck, als würde Frank diese Extremsituation, um-
wölkt vom Feuerrauch, geschickt dafür nutzen, um Wesleys
Emotionen für ihn weiter zu vertiefen. Andererseits glaube ich
eigentlich nicht, dass Frank in der Lage ist, die Gefühle anderer bewusst zu steuern. Er würde das auch gar nicht wollen,
denn er ist ja kein unehrlicher Typ. Vermutlich hat er schlicht
nach Wesleys Nähe gesucht, weil er Angst hatte. Und Wesley
war empfänglich für diese Suche nach Nähe, denn er machte
sich offensichtlich auch große Sorgen, nicht über den Brand
selbst wahrscheinlich, sondern über das, was sich mutmaßlich
hinter diesem Brand verbergen könnte. Beziehungsweise über
das, was seine Mutter in diesen Brand hineinlesen würde. Seit

ihrer gemeinsamen Volvofahrt scheint Wesley in jeder Situation mitzudenken, welche Haltung seine Mutter dazu hätte. Ich vermute, dass ihn das für einige Zeit sehr froh machen wird. Es heißt, dass Einsteiger in den Neo-Spiritualismus zunächst einfache Entspannungstechniken erlernen, die ihnen ein Gefühl der Ruhe und Überlegenheit geben. Deshalb probieren das ja auch einige aus, um es dann aber bald wieder sein zu lassen. Kritikern zufolge kann sich das anfängliche Souveränitätsgefühl schon bald verhärten, und dann kann eine stumpfe Genügsamkeit daraus erwachsen, eine Art dauerhaftes Völlegefühl. Aber Wesley hat diese Informationen sicher alle selbst, er wird sich kritisch beobachten, er wird seinen Lebensstil hinterfragen. Ich wünsche ihm nur das Beste.

Ich wähle Carlas Nummer, habe aber nicht vor, es besonders lange klingeln zu lassen. Sie hebt sofort ab.

»Wim?«

»Habe ich dich geweckt?«

»Nein … wie soll man schlafen, wenn ständig Sirenen zu hören sind?« Im Hintergrund scheint ihr TV-Gerät zu laufen. Ich muss davon ausgehen, dass sie in ihrem breiten Bett liegt und einen optimalen Blick auf den Bildschirm hat.

»Du hast jetzt doch Geburtstag.«

»Seit knapp viereinhalb Stunden. Ja.«

»Alles Gute.«

»Danke.«

»Ist Dustin bei dir?«

»Ist das wichtig?«

»Absolut nicht. Nein. Carla … bevor wir jetzt auflegen, muss ich dir noch etwas sagen …« Ich höre sie seufzen, vielleicht sentimental, vielleicht genervt. Durchs Küchenfenster blickend spreche ich weiter: »*Ich habe ein Keyboard gekauft. Das wollte ich dir eigentlich zu deinem Geburtstag schenken, obwohl wir kein Paar mehr sind. Damit du mal in andere Klangwelten eintauchen kannst. Aber jetzt will ich es lieber selbst behalten. Ich habe meine Keyboardneigung entdeckt, weißt du? Ich hoffe, das ist okay für dich.*«

Dann lege ich auf, ohne auf eine Antwort zu warten, und schreibe meine allererste Kurznachricht an die Service-Telefonnummer des Fachgeschäfts:

›*Liebe Keyboarderin. Ist es möglich, Unterrichtsstunden bei dir zu nehmen, sobald das Colemen-Feuer gelöscht wurde? Wim.*‹

Draußen wird es hell. Die Rauchschwaden wirken jetzt dünner, und bald höre ich aus den Nachbarwohnungen Applaus. Es scheint an der Zeit zu sein, nun doch den Fernseher einzuschalten.

Als die Keyboarderin in der Tür steht, habe ich kaum geschlafen, fühle mich jedoch ungemein klar. Sie scheint etwas Wachs in ihre kurzen Haare einmassiert zu haben. Zuerst lächelt sie, dann schaut sie sehr ernst, sie kontrolliert ihre Mimik perfekt.

»*Du trägst ja gar nicht deine beigefarbene Uniform*«, sage ich.
　　»*Aber du siehst immer noch recht verstört aus*«, sagt sie.
　　»*Komm rein. Ich habe verschiedene Saftsorten im Kühlschrank.*«

Es kommt mir so vor, als würde uns auf Anhieb eine Art Meta-Gespräch gelingen. Vermutlich hilft es, dass ich so übernächtigt bin. CarlaZwei bittet um eine Grenadinesaftschorle, was für sich genommen gar kein so starker Gag wäre, doch da Grenadinesaft und Mineralwasser tatsächlich in meinem Kühlschrank stehen, erfülle ich ihren Wunsch einfach wortlos. Und das macht es dann schon wieder charmant, so sehr, dass wir beide fast lachen müssen.

»Hast du heute Nacht geschlafen oder ferngesehen?«, frage ich.
    »Beides im Wechsel. Teilweise habe ich aber auch auf meinem Balkon gestanden und zu den Hills hinaufgeschaut.«
    »Ich saß bis in die Morgenstunden an diesem Fenster hier. War heute auch noch gar nicht draußen. Wie ist es denn so?«
    »Es wird gefeiert. Alle freuen sich, dass der Brand gelöscht wurde, auch alle Touristen. Etwas Besseres konnte diesem Marvin Chapmen gar nicht passieren.«
    »Vielleicht. Hast du ihn gewählt?«
    »Natürlich nicht. Du?«
    »Nein.«

Wir trinken aus unseren Saftgläsern. Das Schweigen ist dabei gar nicht unangenehm, es ist eher spannend, auf eine unverschwitzte, selbstbewusste Art irgendwie.

»Wo hast du das Keyboard denn aufgebaut?«
    »Im Wohnzimmer. Soll ich es dir zeigen?«

Das Keyboard steht direkt vor dem breiten Balkonfenster und wird um diese Tageszeit, gegen vierzehn Uhr, vom Sonnenlicht angestrahlt. CarlaZwei stellt ihr Glas ab und fängt an, ein eher getragenes Lied zu spielen. Sie schließt dabei die Augen, weil ihr die Sonne ja prall ins Gesicht scheint, und nach knapp zwei Minuten ist das Lied schon vorbei. *»Komm her«*, sagt sie und rückt auf dem Stuhl zur Seite, sodass ich mich gerade so neben sie setzen kann. Unsere Hüftknochen berühren sich. Sie kontrolliert, ob meine Finger im richtigen Winkel auf den Tasten liegen, und obwohl wir eigentlich wissen, dass wir nur so dasitzen, um uns körperlich nah zu sein, ziehen wir eine Art Unterricht durch, in dem ich, im grellen Sonnenlicht blinzelnd, ein ganzes Lied lerne. Ich muss mich während des Spielens so sehr konzentrieren, dass es zu einigen Sekunden kommt, in denen ich gar nicht mehr sicher bin, ob diese CarlaZwei mich nicht doch nur besucht, um mir Keyboardunterricht zu geben. In einer dieser Sekunden fängt sie an mich zu küssen.

Zwei Stunden später, als sie bereits gegangen ist, um wieder die Abendschicht im Fachhandel zu übernehmen, und ich mich vom vielen Küssen noch ganz rot im Gesicht fühle, erhalte ich eine Rundmail meines Dads. Er spricht darin von einem ›absurden Glücksfall‹. Während die Villen auf den Nachbargrundstücken teils ›in einem Flammenmeer untergegangen‹ seien, habe die Tragödie sein ›im Umbau befindliches‹ Gebäude komplett verschont. Nur etwas Ruß sei noch von den frisch geweißten Wänden zu putzen. Er betont, dass er nach seinem Ausflug mit Cassandra wie geplant auf die Hills zurückkehren wolle. Nur das Einweihungsfest müsse er nun auf unbestimmte Zeit verschieben, ›aus Gründen der Pietät‹, womit mein Dad vermutlich meint, dass man Respekt für das Unglück der Nachbarn zeigen soll. Ich stelle mir vor, wie die Gäste meines Vaters auf seinem Einweihungsfest inmitten eines verkohlten Panoramas anstoßen würden, auf zerstörtem Rasen zwischen niedergebrannten Häusern. Wahrscheinlich würde ihnen das sogar gefallen. Ich selbst würde ja auch gerne in so einer Mondlandschaft am Fenster stehen, mit einem Mischgetränk in der Hand.

CarlaZwei meldet sich zuerst, was sie für mich zusätzlich auszeichnet. Andere Mädchen folgen ja noch diesem Spiel, das man aus alten Telenovelas kennt, dem zufolge sich zuerst der Junge melden muss. Da wir uns bisher nur etwa achtzig Minuten lang geküsst haben, kommt mir alles noch maximal aufregend vor. Als ihre Kurznachricht aufblinkt, wird es für einen Moment heiß in meiner Magengegend, nicht wie bei Übelkeit etwa, sondern wie bei plötzlichen Erfolgen im Sport oder beim Trinken bestimmter Weinbrände. Sie schlägt vor, sich sofort auf eine Portion Reis zu treffen.

Wir sitzen dann zwischen gleichaltrigen Amerikanern, die Brillen mit dünnen Metallrahmen tragen, in einem Reislokal vor kleinen Keramikschalen. Wir sprechen über unsere Eltern und unsere bisherigen Tätigkeitsfelder und über die Ungewissheit, die jetzt über allem zu liegen scheint, seit diesem unerklärlichen Feuer. Mich überrascht ein wenig, dass wir gar nicht erst anfangen, über die Musik und die Filme zu reden, die wir gerne mögen. Aber eigentlich überrascht es mich doch nicht so sehr. Denn dass wir einen sehr ähnlichen Geschmack haben, ist ja eigentlich klar. CarlaZwei ist erst dreiundzwanzig, kein Obstkorbkind also, und ich bin irgendwie froh über dieses Alter, ohne genau benennen zu können, weshalb. Wir wissen beide, dass wir ein klassisches Kennenlerngespräch führen, doch wir führen es mit einem aufrichtigen Interesse füreinander, oder zumindest aufrichtig höflich. Sie wirkt im Sitzen größer, als sie ist, hält sich die meiste Zeit sehr gerade auf dem Stuhl, ohne dabei steif zu wirken. Regelmäßig blicke ich also in CarlaZwei's hellbraune Augen, und sie blickt in meine Augen, die tendenziell ebenso hellbraun sind. Sie spielt nie in ihren kurzen Haaren herum, sie gestikuliert eigentlich gar nicht. Nur manchmal lächelt sie spontan, und in diesem Lächeln glaube ich dann eine gewisse Bescheidenheit zu sehen, und so ein Lächeln ist mir selten begegnet, es macht mir direkt gute Laune. Wir essen mehrere Portionen Reis in verschwindend wenig Ingwersoße. Auf eine schlichte und irgendwie reine Art gesättigt, gehen wir danach zu CarlaZwei nach Hause.

Nach dreißig Minuten, in denen wir uns ausschließlich ohne Zunge geküsst haben, hat sie mir meine Jeans heruntergezogen, plötzlich etwas stürmisch und nicht zu hundert Prozent geschickt. Alle bisherigen Frauen und Männer haben das, wenn ich mich richtig erinnere, etwas abgeklärter getan. CarlaZwei hatte einen fragenden Blick und ihre Handgriffe wirkten eckig, es schien fast so, als würde sie so eine Jeans zum allerersten Mal aufknöpfen. Und da sie mir in allen anderen Situationen bislang ausgesprochen routiniert und selbstsicher vorkam, habe ich ihren Gestus während des Ausziehens meiner Jeans als äußerst attraktiv und sexy empfunden.

Ich liege auf dem Rücken und sie fährt mit ihrer Nase über meine Boxershorts. Dies wiederum macht sie, wie das auch die meisten anderen schon gemacht haben, es gefällt mir, auch wenn es erwartbar und eigentlich nichts Besonderes ist. Aber vielleicht gefällt es mir auch nur, weil sie es macht und nicht irgendwer. Ich schließe die Augen, so wie man im Allgemeinen seine Augen schließt, wenn man anzeigen möchte, dass man sich gerade fallen lässt. Alles Weitere geschieht dann so, dass ich es gar nicht mehr groß kommentieren kann. Sie macht nichts besonders gut, und mir ist das wahnsinnig recht, denn auch mir gelingt nichts optimal. Ich bin absolut nicht sicher, wo ich an dieser CarlaZwei am besten mit den Fingerspitzen entlangstreichen sollte. Es kommt mir für Augenblicke sogar so vor, als könnte sie ganz andere Sachen mögen als die Frauen und Männer bisher. Unser Sex ist weder ruppig noch besonders sanft, aber auch nicht unbeholfen, und mir fallen währenddessen tatsächlich keine Adjektive ein, die wirklich passen würden.

Am frühen Vormittag schaltet sie den Fernseher ein, der flach und breit an ihrer Schlafzimmerwand hängt. Ich verschränke die Hände in meinem Nacken und CarlaZwei lehnt sich an, genauso wie das CarlaEins auch manchmal gemacht hat, sie legt ihren Hinterkopf an meiner Schulter ab. Wir müssen uns in ihrem Bett jedoch etwas querlegen, um den Fernseher gut sehen zu können, das ist neu.

In der Nachrichtensendung steht ein Wetterreporter auf einem rußgeschwärzten Rasenstück auf den ColemenHills. Er trägt eine zeltförmige Regenhaut, die sich im Wind bewegt, dabei ist es eigentlich recht sonnig. Die Aufnahmen erreichen uns live, einmal blicke ich zum Fenster hinaus, als wollte ich prüfen, ob es auch wirklich sonnig ist, dann schaue ich wieder auf den Wetterreporter. Hinter ihm sind eigentlich nur gut erhaltene Häuser zu sehen, von einer Mondlandschaft kann überhaupt keine Rede sein. Der Reporter spricht von einer Unwetterfront, die sich CobyCounty vom Ozean her nähert. Zur Veranschaulichung wird eine Grafik eingeblendet, ein Wolkengebirge, das sich im Zeitraffer über die See schiebt und das sich dann, als es CobyCounty erreicht hat, in Blitze verwandelt und zuletzt in ein drohendes Fragezeichen. Den aktuellen Berechnungen zufolge könnte die Unwetterfront schon in fünf Tagen bei uns eintreffen. Unsicher ist man sich jedoch noch über die Art und Weise ihrer Entladung vor Ort.

Ich kann nicht sagen, dass ich mir keine Sorgen mache. Doch solange sich unter diesem cremeweißen Bettlaken die juvenile CarlaZwei an meinen Oberkörper lehnt, leuchtet mir nicht ein, warum CobyCounty schon in wenigen Tagen von diesem Unwetter erreicht werden sollte. Die Fenster stehen offen und es ist wirklich warm. Es ist nun fast Mitte März und damit eine Phase des Frühlings erreicht, die von den meisten Touristen schon für eine Art Sommer gehalten wird. Einmal atme ich tief durch und frage mich, wie CarlaZwei eigentlich riecht. Dabei fällt mir auf, dass ihr Geruch dem von CarlaEins sehr nahe kommt. Sie trägt nicht nur den gleichen Duft auf, nämlich StevenAuraPale, die Ähnlichkeit der Gerüche scheint mir auch auf einer anderen Ebene begründet, auf einer ungreif-bareren, jenseits von Parfum. Den Blick durch das geöffnete Fenster in den hellblauen Mittagshimmel gerichtet, überlege ich, ob ihr Geruch eventuell spezifisch weiblich sein könnte, aber dann fällt mir auf, dass ich in meinem Dämmerzustand wieder anfange, gefährlichen Unsinn zu denken. Denn es gibt ja weder ethnisch- noch geschlechterspezifische Gerüche, sondern nur individuell humane Dufttendenzen, und die sind bei guter Hygiene alle relativ angenehm. Ich fahre mit meiner Nase über den Nacken von CarlaZwei, sie dreht sich zu mir und vergräbt ihr Gesicht in meiner Halskuhle. Wir sind beide, obwohl wir heute noch nicht geduscht haben, ziemlich sauber. Als ich die Augen schließe, glaube ich, innerhalb kürzester Zeit wieder einzuschlafen. In den Nachrichten kommt ein älterer Sicherheitsbeamter zu Wort, mit einer warmen, beruhigenden Stimme. Man werde kein Risiko eingehen, sagt er, sollten sich die Hinweise auf eine monumentale Sturmfront verdichten, werde man nicht zögern, die Stadt zu evakuieren. Aber zu diesem Zeitpunkt weiß ich schon nicht mehr, ob die Stimme noch aus den Lautsprechern des TV-Gerätes dringt oder ob sie schon ein innerer Teil meines Halbschlafs ist. Ich spüre das gleichmäßige Atmen von CarlaZwei.

Im Traum beobachte ich meinen Dad und Tom O'Brian, wie sie nebeneinander auf der Rückbank eines Motorbootes sitzen, mit großen Gläsern Wodka Apfelsaft in der Hand, und wie sie über mich sprechen. Tom sitzt links und mein Dad rechts, zwischen ihnen könnte man eine Spiegelachse einzeichnen. Sie äußern sich beide sehr stolz. Mit mir könne man wirklich gut über den Durst trinken, sagt Tom, und mein Dad lobt meine genaue Beobachtungsgabe und behauptet, dass aus mir auch noch ein großartiger Regisseur werden könnte. Sie lachen herzlich und stoßen an und hinter ihnen versinkt die Sonne scheinbar ewig im Ozean. Ich frage mich, wahrscheinlich noch träumend, ob ich diese Szene als versöhnlich auffasse oder eher als lächerlich. Zwischen meinem Dad und Tom O'Brian braucht es ja gar keine Versöhnung, sie kamen bislang immer gut miteinander aus. Und ich komme mit den beiden ja auch immer relativ gut aus. Also muss sich eigentlich niemand versöhnen, also ist mein Traum eher lächerlich, und vielleicht gefällt er mir gerade deshalb so gut.

Beim Wachwerden ist es schon Abend und der Fernseher läuft noch immer. Auf seiner ersten Pressekonferenz kündigt Marvin Chapmen revolutionäre Neuerungen für CobyCounty an. Er spricht von ›*produzierendem Gewerbe*‹, von ›*Dienstleistungsexport*‹ und von ›*globalem Eventmarketing*‹. Weil er nach seinen eher unpräzisen Ausführungen jedoch vieldeutig lächelt, denke ich, dass er eigentlich nichts Besonderes anstrebt, sondern lediglich die Konservierung der aktuellen Standards. Und dagegen hätte ja auch niemand etwas einzuwenden. Insofern habe ich eigentlich keine Angst vor diesem Chapmen, wie auch immer er an sein Amt gekommen sein mag. Wichtig ist schließlich nur, was er jetzt daraus macht.

19

Ich habe das positive Gefühl, dass wir nicht von vorne anfangen müssen. CarlaZwei verfügt über einen Erfahrungshorizont, und ich verfüge über einen Erfahrungshorizont, und es kommt mir so vor, als käme uns das jetzt zugute. Wir zeigen uns gegenseitig Orte, an denen wir uns oft aufgehalten haben, und geben uns Hintergrundinfos zu diesen Orten: *»Das hier war die Joggingstrecke meines Dads. Er ist hier auf und ab gelaufen und ich bin mit meinem ersten Mountainbike neben ihm hergefahren.«* Zudem setzen wir uns in Bars und Konzeptgastronomien, die wir beide zuvor noch nie besucht haben, deren Besuch aber plötzlich sinnvoll erscheint. Unsere Stadt wirkt phasenweise neu auf uns.

»Wenn dich jemand fragt, ob du derzeit in einer Beziehung bist, was sagst du dann?«, fragt CarlaZwei, vor einem Sauerkrautgericht sitzend.

> *»Ich sage dann: ›Ich glaube schon.‹ Und was sagst du?«*
> *»Dass ich das noch nicht so genau weiß.«*
> *»Du findest nicht, dass wir zusammen sind?«*
> *»Hm ... findest du das denn?«*
> *»Ich denke da gerade zum ersten Mal drüber nach.«*

Als das Dessert serviert wird, ein Apfelstrudel unter Vanillesoße, haben wir bereits wortlos entschieden, uns vorerst keine

Gedanken über den Status unseres Kontaktes zu machen. Ihren Erzählungen zufolge hat auch CarlaZwei gute Erfahrungen mit dieser Undefiniertheit gemacht, und wir sind beide warmherzig genug, um uns dieses diffuse Freiheitsgefühl aufrichtig zu gönnen.

»Warst du schon mal für längere Zeit weg von hier?«, fragt sie.

»Ich war einmal mit Tom O'Brian und meiner Mutter in der Dominikanischen Republik, dreieinhalb Wochen lang, im Juli vor vier Jahren. Das waren eigentlich schöne Tage dort. Ich hatte eine Affäre mit einem Mädchen aus Stockholm. Wir haben uns auch danach noch E-Mails geschrieben, aber nur drei oder vier. Ihre E-Mails haben mir nicht gefallen. Und du?«

»Ich bin durch Kalifornien gereist, zwölf Wochen lang. Ich erinnere mich an eine Affäre mit einem jüngeren Dänen. Er war neunzehn. Wir haben uns noch während der Reise getrennt. An dem Nachmittag, als er mir das Surfen beibringen wollte.« CarlaZwei lächelt: *»Ich war dann auch froh, wieder zu Hause zu sein.«*

»Du hattest nie vor, aus CobyCounty wegzuziehen?«

»Doch. Mit vierzehn und fünfzehn. Aber jetzt nicht mehr.«

Auch der zweite Verdauungsschnaps geht aufs Haus. Ich hebe meinen Daumen für den Kellner, der eine etwas alberne, mitteleuropäische Tracht trägt. Er hebt seinerseits einen Daumen und verschwindet in der Küche. CarlaZwei und ich stoßen an, auf nichts direkt Ausgesprochenes, und wir lächeln. Im Anschluss zahlen wir die beiden Einzelrechnungen mit unseren Kreditkarten und gehen dann Arm in Arm durchs Industriegebiet.

Als ich am nächsten Vormittag das CobyCountyArthouse betrete, öffne ich gleich den Reißverschluss meiner hauchdünnen Frühjahrsjacke, um sie an der Garderobe abzugeben. An der Kasse wird meine Jahreskarte über den Scanner gezogen und Wesley schaut gar nicht überrascht. Ich hatte zwar geahnt, dass er arbeiten würde, konnte aber nicht sicher sein, denn normalerweise macht er ja Urlaub im März und April. Doch dieser Urlaub, der erstmals außerhalb CobyCountys stattfand, liegt nun bereits hinter ihm. Das Museum ist gut besucht, internationales Publikum schlendert durch die weißen Hallen, Wesley steht wie hineinmontiert dazwischen. Er hat die Mütze auf dem Kopf, die zu seiner Seefahreruniform passt und gegen die er sich immer aufgelehnt hat. Wir geben uns leicht formell die Hand.

»Du trägst ja mal die Mütze.«

»Na ja. Frank meinte, die steht mir … Was machst du hier?«

»Ich dachte, ich könnte mir die Ausstellung anschauen. Ich komme gerade von einer neuen Carla und wollte nicht gleich nach Hause. Ich habe sie im Keyboardfachhandel kennengelernt. Sie ist großartig. Ich spiele jetzt auch Keyboard.«

»Tatsächlich?« Wesleys Augen strahlen ein wenig. Dann schlägt er mit der flachen Hand auf meinen Oberarm, es ist wohl als Beglückwünschung gemeint, ich reagiere kaum.

»Ja. Ich kann schon ein ganzes Lied. CarlaZwei motiviert mich zum Spielen …«

»Aber du sagst nicht wirklich CarlaZwei zu ihr?«

»Nein, nein«, behaupte ich, und Wesley grinst, weil er weiß, dass ich lüge. *»Und du? Was habt ihr im Qualm noch so erlebt?«*

Wesley schaut für einen Moment nach links und rechts. Da er gerade keine Führung gibt, muss er darauf achten, dass niemand die Kunstwerke betastet, die mit dem Schild ›Bitte nicht berühren‹ versehen sind. Neben welchen Werken dieses Schild angebracht wird, entscheidet Wesley zusammen mit einigen anderen für jede Ausstellung neu. Die vielen Skulpturen, die als Anfass-Objekte konzipiert sind, müssen regelmäßig desinfiziert werden. Auch diese Desinfizierung fällt in Wesleys Aufgabenbereich. Sein Job ist in den meisten Phasen nicht besonders anspruchsvoll, fällt mir wieder auf, Wesley hat hier immer genug Zeit zum Nachdenken, wahrscheinlich sogar zu viel.

Er spricht leise und dicht an meinem Ohr: »*Wir haben mit ein paar Leuten geredet. Einige kannten wir schon. Primär Jungs, die sich zum Untergrund zählen, kleine Eventmanager, alle leicht überheblich.*«

»*Über was habt ihr gesprochen?*«

»*Über das Feuer. Ob es Brandstiftung war.*«

»*Ich habe gelesen, dass Brandstiftung auszuschließen ist.*«

»*Ja, das haben alle gelesen …*«

Wesleys Mittagspause verbringen wir im Museumscafé. An den anderen Tischen sitzen hochgewachsene Blondinen und trinken Mineralwasser. Wir bestellen uns Espresso und mein Puls schlägt bereits höher, als Wesley behauptet, dass der neue Bürgermeister selbst den Brand initiiert habe, um nun bald einem fiktionalen Untergrund die Schuld daran zu geben.

»*Was heißt fiktional?*«, frage ich. »*Es gibt den Untergrund doch. Ich war doch selbst auf so einer Party.*«

»*Natürlich gibt es den Untergrund. Als Partykollektiv. Aber Chapmen wird sagen, dass es mehr ist. Er wird daraus eine Bewegung machen. Er wird ein Gerücht streuen. Unter der Hand wird es heißen, dass der Untergrund für den Brand verantwortlich ist. Nur die offizielle Variante bleibt die alte: ein dämlicher Unfall. Aber den kleinen Jungen, der in dem ungewässerten Garten mit seiner Lupe gespielt hat, hat es in Wahrheit nie gegeben.«*

»Aber warum sollte die neue Regierung Interesse an so einem Untergrund haben? Was hätten sie denn davon?«

»Sie würde daran mitverdienen. Nichts ist kommerzieller als das Zwielichtige. Stell dir vor: Jugendliche rebellieren, indem sie auf Untergrundpartys gehen! Sie könnten sich ihren ganz eigenen Bereich zuordnen, den Bereich des Zwielichtigen … Chapmen ist ein konservativer Mann. Er glaubt, dass Alt und Jung miteinander konkurrieren müssen, damit beide Seiten glücklich werden.«

»Aber dafür nimmt er doch keine niedergebrannten Villen in Kauf. Das sind doch alles irre Kosten …«

»Es wurden keine wertvollen Häuser beschädigt. Nur die leerstehenden, unattraktiven. Das wurde nur dramatischer berichtet … Jetzt kann man auf den ColemenHills Architekten etwas Neues entwerfen lassen. Es wird eine weltweite Ausschreibung geben und zuletzt kommt dann etwas komplett Merkwürdiges dabei heraus und CobyCounty bleibt im Gespräch.«

Wesley hebt den Arm. Einen Moment später werden auch uns kleine Mineralwasserflaschen auf den Tisch gestellt. Ich nehme an, nun etwas nachdenklich auszusehen. *»Warum sollte Chapmen so viele Veränderungen wollen? Es geht hier doch allen ziemlich gut.«*

Wesley atmet tief durch. *»Der Zenit ist längst überschritten. Du brauchst dich nur umzusehen. Irgendwann will kein Freiberufler mehr nach CobyCounty, kein Künstler, kein Grafiker, kein Autor …«* Wesley, der jetzt vielfach blinzelnd unsere

Zukunft umreißt, erinnert mich plötzlich an meinen Dad, als der versuchte, den Roman seiner untalentierten Cassandra zu bewerben. Mein Dad und Wesley, sie haben wahrscheinlich gemeinsam, dass sie sich beide auf einer leicht verzweifelten Suche befinden, die sie zuerst raus aus CobyCounty und dann wieder hinein führt, jedoch nicht ohne Verluste. Wesley sagt: *»Eines Tages könnte unser Frühling Abschlussklassen und junge Familien anziehen … Der Grat ist schmal, Wim. Wir müssen in Bewegung bleiben.«*

Ich stelle das Glas zwischen uns ab. *»Aber auf wessen Seite stehst du? Findest du das gut, was Chapmen macht?«*

»Ich verstehe sein Vorgehen. Aber ich lehne es ab. Er will die Dinge auf kleinen Lügen aufbauen, und das kann er mit uns nicht machen, nicht mit den Bewohnern von CobyCounty …«

Ich schlucke und nicke einmal, um dann zu sagen: *»Du nimmst manches zu ernst. Was ist, wenn du dich irrst? Vielleicht sieht Chapmen gar keine großen Zusammenhänge, vielleicht will er einfach regieren und nur das Beste für uns, wie ungeschickt er dabei auch wirken mag.«*

Wesleys linkes Augenlid zuckt. Das ist ihm früher nie passiert, aber vielleicht ist das gar nicht problematisch.

Auf der Straße gerate ich in einen Starkregen, der aus einer einzigen Wolke zu fallen scheint. Ich ziehe meine Kapuze über den Kopf und höre die Tropfen auf das beschichtete Nylon eintrommeln. Nach wenigen Schritten endet der Regen wieder, und ich trete auf ein Feld aus Sonnenlicht hinaus. Hinter mir wandert die Wolke weiter. Womöglich wird man später Kinder klitschnass darunter hindurchrennen sehen. Ich nehme an, dass das Regenwasser jetzt auf meiner Kapuze verdampft, es ist ziemlich warm.

Auch meine Mutter trägt etwas auf dem Kopf, einen Hut aus Bast, darunter ihre dunkle Sonnenbrille. Sie kommt mir entgegen, als wollte sie pünktlich sein, dabei waren wir nicht einmal verabredet. Ich fürchte, dass diese Begegnung dazu führen könnte, gemeinsam einen Kaffee zu trinken, also sage ich zuerst:

»Ich werde keinen Kaffee trinken können. Der Espresso, den ich mit Wesley genommen habe, wirkt noch in mir.«

»Wesley ist zurück!? Ist alles okay bei ihm?«

»Ja. Irgendwie schon. Also es geht ihm eigentlich besser als vorher.«

»Na ja. So braucht jeder mal seine Auszeit.«

Weil ich nichts trinken möchte, begleitet mich meine Mutter ein Stück zu Fuß. Einmal deute ich in Richtung der Wolke, die sich nun schon weit wegbewegt hat, auf die andere Seite der Stadt.

»Die Wolken ziehen ungewöhnlich schnell«, sagt meine Mutter, *»das ist früher nie so gewesen.«*

»Aber daran ist nichts Schlimmes, oder?«

»Wenn man den Prognosen glauben darf, dann schon.« Sie schaut mich von der Seite an, ihre Augen sind hinter der Brille nicht genau zu erkennen. Ich glaube, dass sie blinzelt. *»Tom und ich haben zwei Koffer gepackt. Nur das Nötigste.«*

»Du sprichst von der Sturmfront, die über den Ozean zieht?«

Sie nickt. *»Wenn sich alles so weiterentwickelt, dann fahren wir morgen los. Zuerst in die Suburbs, zu meinem Cousin. Danach vielleicht in die Berge.«*

Ich gehe still vor mich hin. Eigentlich ist die Haltung meiner Mutter nicht irritierend, denn auch ihrer leisen Panik wohnt ein optimistischer, fast euphorischer Tonfall inne. Die Flucht vor der Sturmfront würde sie als spontanen Urlaub begreifen. Meine Mutter wird immer ehrlich zu sich selbst sein, denke ich, sie wird sich einfach für immer etwas vormachen.

»Ich habe Carla im Supermarkt getroffen«, erzählt sie, vielleicht um das Thema zu wechseln, *»sie schien etwas vorsichtig mir gegenüber, ein bisschen zu nett vielleicht, aber sehr aufgeräumt. Sie lässt dich grüßen …«*

»Ja, ich habe mit ihr telefoniert. Da ist alles in Ordnung und geregelt.«

»Das freut mich. Willst du immer noch keinen Kaffee?«

»Bitte nicht.«

Dann lacht meine Mutter und sagt, dass sie nun stabile Halbschuhe kaufen gehe, für den Fall, dass sie Tom für die Zeit der Evakuierung zu einem Wanderurlaub motivieren könne. *»Möchtest du mir bei der Auswahl helfen?«*

»Ich kann leider nicht. Ich bin noch verabredet …«

»Na gut!« Meine Mutter breitet zum Abschied ihre Arme aus. Sie hält mich länger fest als sonst. Und als sie bereits davongeht, rufe ich: *»Hey Mum … meinst du, dieses Unwetter könnte echt wesentlichen Schaden anrichten?«*

Sie bleibt noch einmal stehen und zieht für einen Moment ihre Brille ab. Die Haut um ihre Augen scheint leicht gerötet, aber das kann ich aus dieser Entfernung nicht wirklich beurteilen. *»Ich hoffe nicht«*, ruft sie.

Auf CobyCountySpotlights ist zu lesen, dass rekordverdächtig viele Flüge und Züge ausgebucht sind. Die Touristen verlassen die Stadt. In einem Videobeitrag wird ein dreißigjähriger Mann porträtiert, ein jungenhafter deutscher Grafikdesigner, der vorschlägt, dass die Flug- und Zugcompanys ihre Resttickets doch bitte per Auktion versteigern sollten. Alles andere halte er für geheuchelt. Ihm habe es bisher jedes Jahr in CobyCounty gefallen, doch im Augenblick wolle er nur noch weg von hier. Auf die Frage, ob er nächstes Jahr wiederkomme, antwortet er, dass er das bislang noch von keinem nächsten Jahr gewusst habe. Ich schaue noch zwei weitere Videos, in denen verärgerte Touristen angetrunken zu Wort kommen. ›*Was sagen die Einheimischen?*‹, lautet die Überschrift eines Leitartikels, der auf die Videofenster folgt. Der Text hat viele Aufrufe, ihm ist jedoch anzumerken, dass er besonders die trotzigen und optimistischen Stimmen herauskehrt, jene, die sagen, dass unsere Stadt den Starkregen und die Sturmböen schließlich aus den Monaten Januar und Februar gewöhnt sei. »*Unsere Architektur ist jedem Sturm gewachsen*«, wird ein blonder Junge zitiert, von dem auch ein Foto zu sehen ist und der nicht viel älter als zwölf sein kann. Die letzten Sätze des Leitartikels verweisen auf die widersprüchlichen Aussagen verschiedener Prognoseexperten und loben die Haltung der Bewohner als ›angstlos, *aber niemals naiv*‹.

In den Kommentaren zu dem Artikel, zu denen ich hinabscrolle, ist von ›*Augenwischerei*‹ und ›*Verklärung*‹ die Rede, und einige dieser Kommentare scheinen tatsächlich in CobyCounty geschrieben worden zu sein. Es kommt mir vor, als stieße das Understatement einiger Bewohner nun an eine Grenze, als glaubten Einzelne, dass sie schon viel zu lange geschwiegen hätten. Ihre Kommentare sind viele Zeilen lang, gepresst und peinlich und voller Wut. Es sind Texte von Menschen, mit denen ich niemals zu tun haben möchte, ob sie nun aus CobyCounty stammen oder nicht. Trotzdem scrolle ich immer weiter nach unten, immer tiefer in die Diskussion hinein, und nach sechs, sieben, acht weiteren Kommentaren passiert es mir dann. Ich poste:

›Niemand verfügt über einen realistischen Querschnitt durch CobyCounty. Der Journalist bildet lediglich ab und zeigt auf, dass es auch Menschen gibt, die noch skeptisch sind und bleiben wollen. Und die von ihm in Szene gesetzten Stimmen gefallen mir: Sie haben Kraft.‹

Ich nehme mir fest vor, später auf gar keinen Fall nachzusehen, ob andere User auf meinen Kommentar antworten.

20

»Ich werde diese Stadt vorerst nicht wieder verlassen«, sagt Wesley mit wehendem Haar, und Frank, der sich die Collegejacke seines Freundes übergeworfen hat, nickt mit großen Augen. Wir stehen als neue Paare auf der Promenade, CarlaZwei neben mir. Sie wollte Wesley gerne kennenlernen, schließlich habe ich ihr schon manches erzählt, vor allem von früher, aber auch davon, dass er vor kurzem durch die Vereinigten Staaten gereist ist, so ähnlich wie sie einmal, nur mit anderen Folgen wahrscheinlich. CarlaZwei beißt in eine Waffel mit Puderzucker. Es kommt mir so vor, als esse sie den ganzen Tag. Dass trotzdem kein Gramm Fett an ihrem Körper zu erfühlen ist, bewundere ich. Sie ist mit einem fantastischen Stoffwechsel ausgestattet, sie hätte das Potenzial, eine große Sportlerin zu sein, aber sie hat sich für ihr kritisches Bewusstsein entschieden, dafür, nie ein Wort zu viel zu sagen, und für das Keyboarden. Über Frank wusste sie, dass ich ihn zwar für einen eher unadäquaten Boyfriend halte, aber damit jetzt kein Problem mehr habe. Ich höre den dreien beim Reden zu. Sie tauschen sich über die Gegenwart aus, auf einem hohen Niveau, wie ich finde, über die Stimmung auf den Straßen, darüber, dass im Augenblick alles etwas bedrückend ist, aufgrund der schnell ziehenden Wolken, der Starkregenschauer und der Angst dieser teils dümmlichen Touristen. Ich wundere mich, als CarlaZwei das Wort ›dümmlich‹ verwendet, einerseits weil ich es

für ein Wort halte, das schon nach so kurzer Zeit von mir auf sie übergegangen zu sein scheint, und andererseits weil es mich gar nicht irritiert, dass sie dieses Adjektiv in Bezug auf unsere attraktiven Touristen benutzt. Ich empfinde es auch gar nicht als gefährlich, dabei weiß ich doch, dass es immer gefährlich ist, ganzen Menschengruppen einzelne Vokabeln zuzuordnen.

Frank zeichnet mit den Spitzen seiner Turnschuhe Halbkreise in den Sand, der sich feucht auf die Promenade gelegt hat. Er wirkt jetzt schüchtern, so als hätte er Angst vor CarlaZwei, die mit ihrer Puderzuckerwaffel so aufrecht und fantastisch neben mir steht. Frank spricht wie mit sich selbst, den Blick auf den Boden gerichtet: *»Ich wohne hier zwar noch nicht so lange wie ihr, aber doch fühle ich mich mit eurer Stadt sehr verwachsen. Ich weiß nicht, wie es bei euch ist. Aber gerade weil jetzt alle diese Leute wie irre aus CobyCounty herausdrängen, will ich auf jeden Fall hierbleiben ...«* Frank kommt mir in diesem Augenblick maximal ehrlich vor. Es fällt mir schwer, meine Abneigung ihm gegenüber noch wachzurufen. Wesley umgreift seine rechte Hand. Darauf reagierend umfasst auch CarlaZwei meine Hand. Und dann stehen wir jeweils Hand in Hand voreinander und schauen uns in die Augen. Einige der Touristen, die Eiscreme essend über die Promenade flanieren, blicken uns an. Wir könnten leicht wunderlich, vielleicht sogar religiös auf sie wirken. Plötzlich greift Frank nach der Hand von CarlaZwei, sie wundert sich und schaut mich an, und als dann Wesley seine Hand nach meiner ausstreckt, schüttle ich den Kopf.

Unsere Wege trennen sich an einem Crêpestand. Frank gibt dem Bäcker Instruktionen, er kennt ein besonderes Rezept und das will er uns zeigen. CarlaZwei verabschiedet sich zuerst von ihm und dann von Wesley, *»bis bald«*, sagt sie und klingt aufrichtig freundlich dabei. Ich umarme Frank und Wesley wie zwei Klienten, auf meine neue, herzliche Art, die mittlerweile eigentlich gar nicht mehr so neu ist. *»Wir sehen uns im Sturm«*, sagt Frank und lächelt. Wesley schweigt.

Als CarlaZwei und ich die Promenade hinuntergehen, ist wohl nur für besonders aufmerksame Passanten zu erkennen, dass wir zwei späte Jugendliche aus CobyCounty sind, die regelmäßig miteinander schlafen. Wir berühren uns auf der gesamten Strecke kein einziges Mal. Das hängt vermutlich auch damit zusammen, dass uns die demonstrative Händchengeste im feuchten Promenadensand leicht verstört zurückgelassen hat. CarlaZwei weist mich darauf hin, dass wir durch diese Geste einen *»neo-spiritualistischen Zirkel«* gebildet hätten.

»Ich habe so etwas in der Art schon befürchtet«, sage ich. Und weil sie das hauchdünne Zittern meiner Stimme hört, legt sie einen Arm um meine Hüfte: *»Mach dir keine Sorgen. Es gibt weit Schlimmeres. Zum Beispiel diese nervösen Deutschen da vorn ...«* Sie deutet auf zwei hagere Jungs, die vermutlich noch jünger als dreiundzwanzig sind, elegante Reisetaschen über den Schultern tragen und mit ihren freien Händen nach Taxis winken. *»Ich lege wirklich keinen Wert mehr auf diese Leute«*, ergänzt CarlaZwei um eine Nuance zu streng, vermutlich weil sie die hageren Jungs insgeheim sexy findet. Etwas weicher sagt sie: *»Ich geh hier nicht weg. Was auch immer da kommt.«*

Calvin Van Persy scheint Mattis Klark nicht mitgeteilt zu haben, dass er mir zu einer Reise geraten hat, denn Klark geht wie selbstverständlich davon aus, dass ich in meinem Apartment in CobyCounty sitze und mich vor der Sturmfront fürchte. In einer mild klingenden Kurznachricht bietet er an, dass ich in seinem Haus Zuflucht suchen dürfe: ›*Die Suburbs sind vielleicht nicht der sicherste Ort der Welt, aber definitiv sicherer als das Stadtzentrum! Würde mich freuen, dich zu sehen.*‹ Ich danke formell für sein Angebot und sage ab, mit dem kühlen Verweis darauf, dass ich ein Junge aus CobyCounty bin und das auch bleiben werde.

Die tatsächliche Evakuierung wird am Tag vor dem prognostizierten Sturm innerhalb von acht Stunden durchgeführt. Die Sicherheitsabteilung der neuen Regierung hat eine radikale Kommunikationsform gewählt: Auf allen Bildschirmen ist in dieser Zeit nur noch eine einzige Meldung zu lesen, nämlich die von der sofortigen Evakuierung, versehen mit losen Anweisungen, auf welche Dokumente nun Wert zu legen sei und wie man seine Besitztümer schützen könne. Ich versuche es auf allen Webseiten und Kanälen, doch es öffnet sich nur immer wieder dieselbe Infotafel.

Es fahren drei mal zwölf Shuttlebusse von Station zu Station und dann raus aus der Stadt. An jeder Haltestelle warten Bewohner neben Sporttaschen und Rollkoffern, mit Rucksäcken auf dem Rücken und Leinenbeuteln in der Hand. Das Gepäck ist begrenzt und es wurden die Tresore der Stadtarchive für jene Bewohner bereitgestellt, deren Apartments und Häuser über keine geeigneten Sicherheitsboxen für externe Festplatten verfügen. An den Haltestellen wird viel gelacht, beim Vorübergehen höre ich nervöse Gags, teils fremde Running Gags, die sich mir nicht erschließen, aber vor allem selbstironische Kommentare über unseren Ausnahmezustand, der nicht nur von den Senioren in eine Art Bonusurlaub umgedeutet wird.

Ich habe drei Anrufe meiner Mutter nicht mehr angenommen. In den beiden vorausgegangenen Gesprächen hatte ich mich bereits wiederholt: *»Du wirst mich nicht umstimmen können«*, habe ich da jeweils gesagt, und weil ich dabei auch bleiben möchte, hebe ich jetzt einfach nicht mehr ab. Auch ihre Kurznachrichten stehen nur kurz auf meinem Display, ich lösche sie rasch. Als mich eine Nachricht von Tom O'Brian erreicht, lese ich jedoch aufmerksam, da es seine erste in sieben Jahren ist:

›Wimboy, ich mache mir auch Sorgen. Aber wenn du es für richtig hältst, das Risiko einzugehen, dann bleib. Geh in den Hotelturm, wenn es hart auf hart kommt. Es gibt keinen sichereren Ort als unsere Suiten!‹

Am nächsten Tag, als gegen sechs Uhr am Morgen die letzten Busshuttles davongefahren sind, ist die Sonne schon überhaupt nicht mehr zu sehen. Die Stadt wirkt menschenleer, doch für den Abend haben CarlaZwei und ich all jene zusammengerufen, von denen wir glauben, dass sie ebenfalls hiergeblieben sind. Auf unserer Liste standen neben ihren engsten Freunden auch einige meiner ehemaligen Klienten sowie fünf ehemalige Mitschüler. Die Rundmail blieb unbeantwortet, nur von Wesley und Frank wussten wir sicher, dass sie kommen würden.

Im Souterrain unter den Suiten befindet sich das Bistro des O'Brian-Hotelturms, hier frühstücken im Winter die Mitarbeiter und Freunde des Hauses, normale Gäste können hier zu ungewöhnlichen Tageszeiten kleine Snacks bestellen. Wir haben zwei Töpfe mit Fischsuppe angerührt, daneben Baguettestangen in einen Korb gelegt sowie alkoholische Getränke für gut zwanzig Gäste kalt gestellt. Ein rechteckiges Fenster ermöglicht den Blick aufs Meer. Die ersten Stunden verbringen wir zu viert, in der Annahme, dass vielleicht noch jemand dazustoßen wird, und ich bemühe mich, unser kleines Buffet nicht als pathetische Angstgeste wahrzunehmen. Deshalb haben wir uns auch vielfarbig angezogen, um nicht besorgt zu wirken, um sozusagen optimistisch zwischen den anderen zu stehen. Wir gingen ja davon aus, dass die meisten in gedeckter Abendgarderobe erscheinen würden. Doch nun ist ja fast niemand erschienen, und Frank trägt ein grellblaues Poloshirt und Wesley sogar eine Art Hawaiihemd. Im Grunde sehen wir heute so aus, als entstammten wir einem ganz anderen Milieu, als wären wir zum Beispiel schon über fünfunddreißig und würden mit Bieren in der Hand um einen Gartengrill herumstehen. Wir strahlen etwas ernsthaft Verzweifeltes aus, scheint mir, aber ich sehe den anderen an, dass sie das so ähnlich einschätzen, und das macht es leichter. Das macht es sogar fast schon wieder gut. Ich schmunzle, und Wesley schmunzelt zurück, aber ich weiß, dass wir aneinander vorbeischmunzeln.

Er ist der Letzte, der noch ein Telefonat führt. Er spricht mit seiner Mutter und wirkt dabei sehr konzentriert, er verwendet die Wörter ›Energie‹, ›Zukunft‹ und ›Stärke‹. Als er aufgelegt hat, erzählt er uns, dass seine ›Mum‹ fest davon ausgeht, dass uns nichts passieren wird.

Zuerst will ich schweigen, aber dann sage ich es doch: »Ich finde leider nicht, dass das ein gutes Omen ist.« Ich sage es nicht sehr laut, aber danach schweigen erst mal alle.

Der große Knall wurde für zwei Uhr nachts prognostiziert. Keine TV-Anstalt wird live übertragen, es sind nur einige

Webcams angekündigt, und vermutlich ist der eine oder andere Blogger in seinem Apartment geblieben, um an seinem Fenster sitzend exklusiv zu berichten. Von uns hat jedoch niemand vor, diese Webcams oder Blogs zu verfolgen, auch unsere Telefone haben wir jetzt abgeschaltet, um keine besorgten Anrufe mehr zu erhalten. Sollten die Prognosen stimmen, werden die Mobilfunknetze ohnehin in sich zusammenbrechen, in einem Artikel hieß es sogar, dass man nach dem Sturm nicht einmal mehr E-Mails versenden könne, aber das ist umstritten.

Anfangs dachte ich, dass ich an diesem Abend vielleicht einmal nichts trinken würde, aber das dachte ich nur kurz. Und es passt ja durchaus zu dieser bunten Garderobe, sich schwere Rum-Cola-Getränke zu mixen. Wir stellen uns mit den Gläsern in der Hand lose verteilt im Raum auf, jeder für sich, beinahe autark. Damit wir uns nicht in der riesigen Fensterscheibe spiegeln, haben wir alle Lichter ausgeschaltet. Wir blicken nach draußen.

Ab halb eins ist aus der Ferne ein Donnern zu hören, das von Minute zu Minute lauter wird. Im Wetterleuchten sehen die Gesichter regelrecht feierlich aus, selbst das von Frank. Alle Blicke sind auf den Ozean gerichtet. Dort ist zu sehen, wie die schwarze Wolkenfront von Moment zu Moment massiver wird, so als bäume sie sich auf. Nur Wesley blickt nicht die ganze Zeit durchs Fenster. Er schaut oft zu mir. Seine Haut wirkt zwar blasser als sonst, doch ich kann in seinen Augen keine Furcht erkennen, im Gegenteil, eigentlich ist dort ein fast euphorisches Glänzen wahrzunehmen, das ihn viel älter macht. Ich nicke ihm ernst zu, dann wird es dunkel, und erst als ein gewaltiger Blitz den Raum erleuchtet, nickt Wesley zurück. Frank drängt sich nun an seine Seite, die beiden halten sich im Arm, so wie man das gemeinhin tut, wenn man anzeigen möchte, dass man sich braucht. CarlaZwei und ich vereinbaren stillschweigend, nach einem kurzen Seitenblick zu Wesley und Frank, dass wir uns nicht im Arm halten wollen, nicht jetzt.

Aus dem Gebäude ist lange nichts zu hören, kein Fenster ist offen, kein Wind dringt ein. Als plötzlich eine Glasflasche zerspringt, steht dieses Zerspringen in keinem direkten Zusammenhang mit dem Sturm. Die Flasche fällt, weil sie zu nah an der Tischkante abgestellt wurde, wahrscheinlich von Frank, aber vielleicht auch von mir selbst. Während der Donner gleichförmig grollt, hole ich ein Kehrblech aus der Küche und fege die Scherben auf. CarlaZwei geht neben mir in die Hocke und legt ihre Hand auf meinen Rücken. Sie streichelt mich nicht, ihre Hand liegt nur so da, wie die von einem alten Freund. Ich drücke meine trockenen Lippen auf ihre Wange und sie schließt die Augen, um anzuzeigen, dass sie das genießt. Die anderen beiden beobachten uns nicht dabei. Sie stehen als ausdefiniertes Paar, wie zwei ineinander verschränkte Requisiten, vor dem rechteckigen Fenster zum Meer.

»Findet ihr nicht, dass es ruhiger wird?«, ruft plötzlich Frank, und mir fällt auf, dass nun tatsächlich schon eine ganze Weile kein Wetterleuchten mehr zu sehen war. Der Himmel rumort weiterhin, doch er wird nicht mehr lauter. Ich richte mich auf und halte das Scherbenblech vor mir in den Raum. Wesley verschränkt seine Arme.

Gegen drei Uhr zehn ist es windstill. Die dichte Bewölkung scheint sich aufzulösen, dabei hat es bislang noch gar nicht zu regnen begonnen. Die einzige Feuchtigkeit, die an unsere

Fensterfront schlug, schien aus den Wellen herausgeweht zu sein, aber jetzt weht es ja nicht einmal mehr. Wesley geht als Erster nach draußen. Frank ruft ihm nach, dass er warten und aufpassen solle, doch in diesem Moment steht Wesley schon auf der Straße und reißt seine Arme in die Luft: *»Es klart auf!«* Wir folgen ihm. Altpapier und Pappe und Klarsichtfolie wurden aus den Müllcontainern geweht, im Grunde sieht es so aus, als habe am Fuße des Hotelturms ein kleines, privates Feuerwerk stattgefunden. Ich blicke die Straße hinunter. Zwei junge Männer stehen vor ihren Häusern und lachen, sie winken uns zu und heben ihre Daumen. Wir rufen, dass sie zu uns kommen können, schließlich haben wir noch genügend Fischsuppe und Drinks, aber die beiden scheinen uns gar nicht hören zu wollen und gehen wieder ins Haus.

»Ich glaube, der Sturm ist an uns vorbeigezogen«, sagt Carla-Zwei mit ruhiger Stimme, und für einen Moment denke ich, dass sie diesen Satz nur metaphorisch meinen kann. Als ich ihr das sage, fährt sie mir mit beiden Händen über den Kopf: *»Ich glaube, du solltest bald wieder ins Büro gehen!«* Sie lächelt mich an und ich merke, dass auch sie schon sehr betrunken ist. Zurück im Souterrainbistro, klauben wir einige Garnelen aus den Suppentöpfen. Wir verteilen volle Sektgläser im Raum und lassen die Tür offen stehen, aber es ist niemand auf der Straße, der eintreten könnte. Wesley hält sich mit dem Sekt zurück, wir anderen sind nicht zu bremsen.

Als CarlaZwei und ich uns in verschiedenen Badezimmern des Hotelturms parallel übergeben, ist es schon längst wieder hell.

Am Tag danach wissen wir eigentlich nicht, ob das Handynetz jemals ausgefallen war. Jedenfalls können wir nun, seit wir unsere Telefone wieder eingeschaltet haben, auch problemlos Kurznachrichten und Anrufe empfangen.

»*Doch, doch*«, sage ich zu meiner Mutter, »*es geht uns allen gut. Sehr gut sogar. Und es ist auch kaum etwas zu Schaden gekommen.*« Ich fahre mir mit einer Hand durchs Haar, weil meine Kopfschmerzen erstaunlich sind, und höre meine Mutter durchatmen. Sie erzählt, dass Peter Stanton für sie dort »*im Exil*«, wie die Vororte nun ironisch genannt werden, eine Ansprache gepostet habe: »*Er will ein Feuerwerk organisieren, sobald die Stadt wieder vollzählig ist. Es soll das schönste Frühlingsfinale aller Zeiten werden!*«

Ich frage, ob Peter Stanton auch wieder unser Bürgermeister sein wird, und nach einem kurzen Zögern sagt meine Mutter: »*Früher oder später bestimmt!*«

Tom O'Brian lässt Grüße ausrichten. Ich höre ihn sagen, dass ich schon einmal einen Pitcher mit Wodka-Apfelsaft kalt stellen solle. Kurz denke ich, dass er nach diesem Zwischenruf nun eigentlich anbiedernd lachen müsste, aber dann fällt mir ein, dass das ja mein Dad ist, der immerzu anbiedernd lachen muss, und nicht Tom O'Brian. Als meine Mutter aufgelegt hat, frage ich mich, ob nun auch die Touristen zurückkehren werden, die ihre Ferien ja so abrupt abgebrochen haben, als es erstmals schwierig zu werden drohte. Rein kalendarisch warten schließlich noch sechs Wochen Frühling auf uns. Ich stelle mir überfüllte Expresszüge und ausgebuchte Flugzeuge vor, schrille Tage, an denen sich die Stadt stündlich mit talentierten Freiberuflern füllt und sich unser Frühling zu einem neuen Höhepunkt aufschwingt, jetzt erst recht. In einem Moment will ich Wesley auf seinem Handy anrufen, um ihn für die nächsten Wochen zu motivieren, um ihm und mir einzureden, dass diese Reisesaison vielleicht doch noch nicht vorbei ist. Ich lege mein Telefon aber gleich wieder aus der Hand.

Ich habe mir ein gestreiftes T-Shirt und einfarbige Shorts angezogen, und ich lehne mich beim Strandspaziergang an CarlaZwei. Es ist plötzlich heiß geworden. Wir haben unsere Arme um unsere Hüften gelegt und schwitzen beide. Brandung ist kaum zu hören, die See liegt ruhig und friedlich da, und für gewöhnlich würden um diese Tageszeit Touristen und Einheimische gemeinsam baden. Wetterbedingt wäre davon heute jedoch abzuraten. Es ist viel zu dunstig. Und auch wenn der Dunst scheinbar aus sich heraus leuchtet, weil schon bald die Sonne wieder hindurchbrechen wird, wären die Schwimmer darin nicht zu orten und es könnte zu den ersten Ertrinkungsopfern in der Geschichte CobyCountys kommen.

»Erinnerst du dich, wie es war, alleine zu Hause zu sein?«, fragt CarlaZwei.

»Ja, ich erinnere mich gut. Und es hat mich schon oft traurig gemacht, dass man dieses Gefühl eigentlich nicht mehr herstellen kann, seit man in einer eigenen Wohnung lebt.«

»Ich finde, durch den Sturm ist dieses Gefühl ein bisschen zurück.«

Dann nicken und schweigen wir. Niemand kommt uns entgegen, niemand folgt uns, es ist eigentlich nur feuchter Sand zu sehen. Einmal gehen wir an einer geschlossenen Softeisfiliale vorbei, und einmal holen wir beide gleichzeitig tief Luft. Dieses wortkarge Einverständnis zwischen CarlaZwei und mir erinnert mich an das textbasierte Einverständnis, das sich in den frühen E-Mails zwischen CarlaEins und mir hergestellt hat. Zumindest ist es die Annahme eines Einverständnisses, auch wenn es vielleicht nur eine Frage der Zeit ist, bis dieses brüchig wird. Doch wenn ich CarlaZwei's sachlich-kühles Profil betrachte, dann habe ich gegenwärtig das Gefühl, dass wir uns eigentlich vor nichts zu fürchten brauchen. Wir spazieren über einen stabilen Strand, es ist ein dunstiger Nachmittag, und bald wird es Abend.